Ⓢ新潮新書

養老孟司
YORO Takeshi

死の壁

061

新潮社

死の壁――目次

序　章　『バカの壁』の向こう側

どうすればいいんでしょうか

『バカの壁』という本について、随分たくさんの取材を受けました。そうした取材のなかで、非常に多かった質問の一つが「じゃあ、結局どうすればいいんでしょうか」という類《たぐい》のものでした。

たとえば「あなたは〝身体を使え〟と書いているが、具体的には何をすればいいんですか」という質問です。本来ならば、それは自分で考えてください、ということなのです。正解は人によってそれぞれ違うのですし、それを全部言葉で言えるのならば身体を使う必要はないのですから。

しかし、それでも繰り返し聞かれる。面倒くさいので、とりあえず「参勤交代を国で推奨すべし」と提案してみました。都会の人間が一年のうち一定期間、必ず田舎で暮らすことを法律で義務付けよ、という提案です。

日本人は勤勉だから、本人の自由ということにしておくと、誰も職場から離れようとしない。「俺が休んでいる間にあいつが抜け駆けするんじゃないか」となる。だから義務にしてしまえ、というわけです。そうすれば少なくとも身体を使うだろうし、自然に触れ合う。きっと何かが変わるでしょう。

それで何が変わりますか、何がわかりますか、と聞かれても、とりあえずやってみろとしか言いようがありません。ただし、身体を動かすことで必ずその人は変わってきます。不況だ何だと言っていますが、それは考えが煮詰まっているからだという面が少なからずあります。身体を動かすことで、確実に脳にも影響があります。そして考え方が変わってくるはずです。とはいえ、別にこれが唯一の正解だというつもりはまったくありません。単に一つの提案に過ぎないのです。

わからないから面白い

『バカの壁』のなかで「人生の問題に正解はない」と書きました。その答えを求める行為それ自体に意味がある、ということも書いた。しかし、それだけでは承知してもらえないようです。

そもそも本に書いてあることを全部絶対正しいなんて思わないでくれと常々言っているのですが、真面目な人はそれだけで怒るようです。

テレビの取材を受けている際に、私が長い間調べているゾウムシの生殖器の写真を見せました。大雑把に見ればほとんど同じ見た目のゾウムシです。おそらく、興味の無い人にはまったく同じにしか見えないでしょう。しかし、それぞれの生殖器の形が生息地等によってかなり異なる。あるものは人間のペニスに似ているし、あるものは二股に分かれていたりする。細かく見ればおどろくほどバラエティに富んでいるのがわかります。

それを見せたとき、取材に来ている方は、

「はあ、それでこれを調べて一体何がわかるのでしょうか」

と聞いてきました。それに対しての答えはこうです。

「何がわかるかわかっていたら、調べても仕方がないでしょう。わからないから面白いんじゃないでしょうか」

私は最近、「バカの壁」の向こうにはロマンがあると言うようにしています。壁があることは仕方がありません。それで諦めがついて気が楽になることもあります。

その一方で、何かの拍子、たとえば経験や学問などによって壁が壊れることもあります。そのときに、向こう側にこれまで見たことがないような新しい世界が広がっているかもしれません。それはロマンではないでしょうか。

ところが、どうも「正解がない」ということに非常に不安や不満を感じる方が多いようです。要するに「調べればわかる」「見ればわかる」と勝手に思い込んでいるのです。

しかし、実際には何でも「調べればわかる」「見ればわかる」というようなことはありません。もちろん話せば何でもわかりあえるということもありません。

人生の最終解答

ただし、人生でただ一つ確実なことがあります。

人生の最終解答は「死ぬこと」だということです。これだけは間違いない。過去に死ななかった人はいません。人間の致死率は一〇〇パーセントなのです。

ガンの五年生存率が何パーセントだ、SARSの死亡率が何パーセントだと世間では騒いでいますが、その比ではないのです。

ところが、そのへんを勘違いしている人が非常に多い。現代人は皆、人は必ず死ぬということをわかっていると思い込んでいるけれども、どこまで本気で考えた末にわかっているのかは甚《はなは》だ怪しいように思えます。

人が死なない団地

私がまだ東大の解剖学教室にいた頃の話です。

自殺の名所といわれる団地が都内にありました。そこに解剖のためのご遺体を引き取りに行ったことがあった。生前に献体に同意された方の遺体を私たちは解剖に使わせていただきます。そういう方が亡くなったとなると、私が遺体を引き取りに伺うのです。

亡くなった方は団地の十二階に住んでいました。ご遺体の入った棺《ひつぎ》を持って通路を進んでいくと、その団地のドアは外開きだから住民がドアを開けるたびに遮られる。向こうはこっちを見て慌ててドアを閉める。

そんなふうに進んで、いざ棺をエレベーターに載せようとしたら、横にしたままでは入りきらない。もっと低層の建物ならば棺を持って階段で降りることもできるでしょうが、十二階ともなると大変です。仕方が無いから、生きているとき同様に、立ってエレベーターに乗っていただくことにしました。棺を垂直に立てて載せて運んだのです。

このときに、ここは人が死ぬことを考慮していない建物だと思いました。

その後、実際にその団地を設計した人と話す機会がたまたまあり、そこで、この話をしました。すると彼は、

「あそこは若い夫婦が郊外に一戸建てを買うまでに住むところという想定で作ったのです。ある程度そこに住んでお金が溜まったら出て行くのです」

と言う。

やはり、設計者はそこで人が死ぬということを想定していなかったのです。しかし、

いくら若夫婦が住むといっても、何千人も住む団地で人が死なないはずはありません。にもかかわらず、死を想定していない。これはまさに都市化の象徴ではないでしょうか。ここでいう都市とは自然の対義語として使っています。人間が死ぬということは自然の摂理です。

都市はそういう自然を排除していくことで作り上げられました。人間の脳が考えたものが形となって現れたのが都市です。

そこでわざわざ飛び降り自殺をする人が絶えないというのは、一種の復讐のような行為と解釈することが出来ないでしょうか。「一体、なんておかしなものを作ってくれたんだ」ということなのです。

本書では、死にまつわる問題をさまざまな形で取り上げています。現代人は往々にして死の問題を考えないようにしがちです。しかし、それは生きていくうえでは決して避けられない問題なのです。

第一章　なぜ人を殺してはいけないのか

中国の有人宇宙船は快挙か

なぜ人を殺してはいけないのか、という問いを一時期よく目にしました。特に神戸で十四歳の少年が連続殺人で捕まった頃に多かったようです。それについて私なりの答えを述べます。

ここでいったん、ロケットの話に飛びます。

二〇〇三年、中国が有人宇宙船の発射に成功した、と各新聞が一面で取り上げていました。基本的には快挙として扱われていたようです。

しかし、飛ぶだけなら蠅でも飛ぶわけです。

あんなにでっかいものが飛んだ。そして狙った通りのところに届いた。それでみんながびっくりしている。驚くのが当然のように思われるかもしれないが、果たしてそうでしょうか。

よく考えてみれば、蠅でも蚊でも飛ぶのです。それも自分たちの思った通りのところに着陸する。計算通りにしか飛ばないロケットとどちらが凄いのか。そう言われて悔しかったら実際に蠅や蚊を作ってみろ、と言いたくなります。

宇宙ロケットは非常に複雑に見えて実は極めて単純なシステムです。人間が計画して、その通りに事が進んだら、それはそれですごく嬉しいことかもしれません。

でも、それで得意になっている奴に、「計算がいくら上手く出来るといって自慢しても、あんた、自分の告別式の日だって知らないじゃないか」と言ったらどうでしょう。言い返せないのではないでしょうか。

そんなこともわからない人間が、あの程度の計算が出来たといって喜んでいるのが現代文明というものの正体なのです。それで平気で蠅や蚊を叩き潰している。

人がなぜ人を殺してはいけないか。その一つの答えがここにあるのです。

殺すのは簡単

人は青酸カリで殺すことが出来ます。出刃包丁で殺すことも出来ます。「吸血鬼」に出てくるみたいに、木の杭のような原始的な道具だって上手に心臓にぶち込めば殺すことが出来るわけです。

簡単に人間を殺すことが出来るこの青酸カリや出刃包丁や木の杭といったものが、人間とくらべたらどれだけ単純なつくりのものか。

システムというのは非常に高度な仕組みになっている一方で、要領よくやれば、きわめて簡単に壊したり、殺したりすることが出来るのです（ここでいう「システム」については後で説明をします。ここでは人間も含む自然や環境のことだと思ってください）。

だからこそ仏教では「生きているものを殺してはいけない」ということになるのです。殺すのは極めて単純な作業です。システムを壊すのはきわめて簡単。でも、そのシステムを「お前作ってみろ」と言われた瞬間に、まったく手も足も出ないということがわかるはずです。

月まで人間が行けると言って威張る。今やそういうことは理論的には難しいことではなくなっています。でも蠅や蚊を作ってみろ、と言われたら、そのとたんにお手上げになるのです。理屈すらよくわからないのです。

あともどり出来ない

現代の人間というのは精密な時計を分解して得意になっている子供のようなものではないでしょうか。分解して部品を全部机の上に並べてみる。それは子供にだって出来ます。

私は子供のときに、家にあった高級な時計を分解したことがあります。昔からこだわるほうだったというか、とにかくどんなふうになっているのかと、ひとつひとつ丁寧に分解していった。

机の上に全部の部品を並べるまでは良かったのです。さて、その分解が終わったところで気づきました。これをどう戻せばいいんだろうか、と。もうお手上げです。

第二次大戦後、冷戦時代に米ソでどんどん核ミサイルを作った。気づいたらとんでもない数になっていました。

それを、冷戦終結後に二年間で二万発減らそうという話になった。ところが実際の処理は一ヶ月に数発しか出来ません。とてもじゃないけれど、二万発なんて無理だとなる。自分たちで安全に壊すことすら出来ないものを作って一体どうするのでしょう。正気の沙汰ではありません。漫画です。

中国が有人宇宙飛行に成功したというのも似た類の話ではないでしょうか。ところが、それを新聞によっては大変な偉業のように書きたてます。まあ中国人がそれで喜ぶのはいいでしょう。結構なことです。これでもう誰もあの国を発展途上国だとか、まさかODAが必要な国だとは思わなくなるかもしれません。

ただし、この喜び方というのは恐ろしく時代遅れだとは思うのです。巨大な三峡ダムを作るとか何とかいうのも似たようなものです。日本では、もうダムなんか作るべきじゃないという考え方が主流になってきているのですから。

中国ほどの伝統のある古い国ならば、「うちはアメリカやロシアみたいに、ロケットなんてつまらないものは飛ばしません」くらいのことを言えなかったものでしょうか。

もちろん、日本が今から焦って同じ路線で走って、有人宇宙船を飛ばしたりする必要はまったく無いのは言うまでもありません。

ブータンのお爺さん

さてこう考えればなぜ人を殺してはいけないのか、なぜ生き物を殺してはいけないのか、その答えはおのずと出てくるはずです。

蝿を叩き潰すのには、蝿叩きが一本あればいい。じゃあ、そうやって蝿叩きで潰した蝿を元に戻せますか。

ブータンに旅行に行ったときのことです。ブータンは仏教国で、いまでもその教えが非常に根強く残っています。

そのブータンの食堂のテーブルは、テーブルクロスも何も敷いていないのに、水玉模様でした。私が席に坐ると、急に水玉が皆飛んで消えてしまう。水玉模様の正体はテーブルに群がっていた蝿だったのです。

その食堂で、地元の人が飲んでいるビールに蝿が飛び込んだ。日本人ならば大騒ぎで

す。が、彼は平気な顔でその蝿をそっとつまんで逃がしてあげて、またビールを飲みつづけた。その様子を私が見ていると、

「お前の爺さんだったかもしれないからな」

彼は笑いながらこちらを見て言いました。今は蝿の姿をしていても、実は私の祖先が生まれ変わった形かもしれない、というのです。彼らのなかでは、蝿ですらも簡単に殺してはいけないという論理がこんな形で存在している。生き物の生命は繋がっているという論理だと言ってもいいでしょう。

ブータンでは珍しくない考え方なのだと思います。しかし、他の国ではどうでしょう。今はあちこちで生命を平気で叩き潰しています。そういう現代人が「なぜ人を殺してはいけないのか」と聞かれても答えに詰まるのは当然のことかもしれません。

二度と作れないもの

こういう問いには、現代人よりも昔のお坊さんのほうがよほど簡単に答えることが出来たはずなのです。「そんなもの、殺したら二度と作れねえよ」と。「蝿だってどういう

わけか知らないけれど現にいるんだ。それを無闇に壊したら取り返しがつかないでしょう」ということなのです。

人間を自然として考えてみる。つまり高度なシステムとして人間をとらえてみた場合、それに対しては畏怖の念を持つべきなのです。それは結局、自分を尊重していることにもなるのですから。

人間は蠅や蚊の仲間か、それともロケットの仲間か。考えてみればすぐわかるでしょう。ところが、これをロケットのほうだと勘違いしている人がいるのではないか。

ここでさらに、こんなふうに言う人もいるかもしれません。「じゃあ俺は自分を大切にする。でも俺以外の人間を壊すのはどこがいけないんだ」と。

実際、どこかでそう思っている人は多いかもしれません。しかし、単純な話で、自分一人で生きていけるかというとそうではない。

人間中心主義の危うさ

他人という取り返しのつかないシステムを壊すということは、実はとりもなおさず自分も所属しているシステムの周辺を壊しているということなのです。「他人ならば壊してもいい」と身勝手な勘違いをする人は、どこかで自分が自然というシステムの一部とは別物である、と考えているのです。

「人間中心主義」が危険だと私が思う理由はここにあります。カトリックの場合、どこか仏教みたいな土俗的なところが感じられる面があった。聖フランシスが鳥と話をしたりするような場面のある逸話からもそれを感じます。

中世のカトリックというのはこういう部分を含んでいたのです。ところがルネッサンスになると、「人間復興」とか何とか言い出した。人間中心になってしまう。

それは実体としての人間の持つ複雑さとかそういうものとは別に、勝手に意識だけが人間のすべてだと考えるようになったということです。そして、自分の思い通りになることが一番価値のあることだという思想を、西洋近代文明は押し通してきた。

でも、それはおかしな話なのです。自分自身ですら思う通りにはならないことに気づけば、嫌というほどわかることなのです。どんなに賢い科学者だって、自分の臨終の日は予言できないのですから。

自分自身どころか、女房だって思うようにいかないし、子供だって思うようにいかない。だからこそ思った通りにロケットが飛んだら嬉しい。しかし、それだけで喜んでいるのはもうあまりにも子供っぽいのではないかと思うのです。

それでもこう言う人がいるかもしれません。

「人間は殺してはいけないけれど、牛や豚ならいいっていうのか」と。それについての答えを、仏教はさまざまな形で示してきたわけです。無闇な殺生を戒めてきたのです。

無闇に殺してはいけない理由は相手が牛でも豚でも同じです。

別にベジタリアンになれと勧めているのではありません。私自身は、肉も魚も食べますし、そもそもベジタリアンだって何らかの形で生き物の犠牲のうえで生活をしているのです。

ただ、私たちの誰もがそういう罪深い存在であるという思いは持っているべきだ、と思うのです。そんなふうに考えていれば、「なぜ人を殺してはいけないのか」なんてことの答えは自ずと出てくるはずなのです。

第二章　不死の病

不死身の人

人は自分のことを死なないと勘違いするようになりました。そんなことはない、と仰《おっしゃ》るかもしれません。でも、現に高層団地から死は排除されていました。人間が死ぬということが知識としてはわかっていても、実際にはわかっていないのです。

こうした勘違いが生まれたのが、おそらく十九世紀です。情報化社会が生まれてから、人間の意識が変わってきたのです。

ここでいう情報化社会とは、いわゆるテレビやインターネットの普及といった、現代において使われている意味のみを指しているわけではありません。

本来、日々変化しているはずの人間が不変の情報と化した社会のことを指しています。これまでに何度も書いてきたことですが、ここでもう一度簡単に説明をしておきます。通常使われている「情報」という言葉と、私のこの言葉の使い方が少々違うので、戸惑う方が多いからです。

本来、人間は日々変化するものです。生物なのだから当たり前です。眠っているあいだにも身体は変化している。脳細胞だって変化している。

それでも毎日目が覚めるたびに「今日の俺は昨日の俺とは別人だ」と思うようでは、社会生活も何もあったものではない。だから、意識は「昨日の俺は今日の俺と同じだ」と自分に言い聞かせ続けます。

日々変化する自分とは反対に、変わらないのが「情報」です。

情報が変化するというのは勘違いで、実はテープに録音したお喋りは、何年たっても変化しません。テープレコーダーに入れて再生すればまったく同じ。三年たって聞き直したら考え直していたなんてことはありません。

人間は変化しつづけるものだし、情報は変わらないものである、というのが本来の性質です。ところがこれを逆に考えるようになったのが近代です。

これが私が言うところの「情報化社会」です。「私」は変わらない、変わっていくのは世の中の情報である、という考え方の社会です。脳中心の社会と言ってもいい。

魂の消滅

このように「人間は変わらない」という勘違いから妙な疑問が湧いてきます。「俺は俺」「私は私」で不変の意識であるはずだ。不変だとすれば、どうしてそれが消えなくてはいけないのか。何で死ななきゃならねえんだという疑問です。

もちろん、よほど変わった人でない限り、「俺は不死身だ」と言い張りはしません。それでも、情報はローマ時代から残っているのに自分は死ななくてはいけないということが納得できていないのではないか。「変わらない自分」が存在しているのに、どうしてそれが死ななくてはいけないのか、ということです。

昔の人もこの矛盾もしくは理不尽には気づいていました。だから「魂」という概念を作り出した。そして自分が消えても意識は残るはずだ、ということを「魂が残る」というように考えて、納得していたのでしょう。

しかし、近代に入ると、科学はその「魂」という考え方を否定してしまった。「進歩した人間が魂を信じるのはおかしい、科学的ではない」ということで話を進めてきた。今では特定の信仰を持っている人以外は、「魂」を心底信じるとはあまり言わない。

さあこうなると答えがなくなってしまいます。「魂は無い。でも俺の意識は不死身のはずだ」では矛盾してしまいます。

そこでどうなったかといえば、「何が何でも死なない」という意識が出てきたのです。何度も言いますが、そんなことを声高に主張している人が現れたという意味ではありません。しかしどこかでそういう意識を持ってしまったということです。

かつて「魂」という概念を持っているときには、死についての捉え方に矛盾は生じなかったのです。

「身体は滅びる。しかし魂は残る。だから意識は不滅だ」という論理です。そこで説明が出来ていた。考えが止まっていた、と言ってもいいでしょう。

「俺は俺」の矛盾

しかし、「俺は俺」「私は私」という思い込みばかりが強くなり、自分は変わらないという考え方が一般化したにもかかわらず、魂を否定すると、答えがなくなってしまうのです。

「身体は滅びる。科学的には魂は存在しない。でも意識は不滅だ」では筋が通りません。これが、「情報化社会」、すなわち意識中心の社会になったことによる矛盾の一つなのです。

もう少し「俺は俺」「私は私」ということについて補足しておきましょう。この思い込みを打ち破ることはかなり難しい。常に変わらない自分が、死ぬまで一貫して存在している、という思い込みが多くの日本人の前提になっています。あまりに一般化しているので、かえってそういう思い込みがあるといってもピンと来なかったりするようです。

おそらくこの思い込みというか論理は、なかなか破られにくいものだからこそ、一般化したのでしょう。破られにくいのは、たとえ他人から指摘されても「変わった部分は本当の自分ではない」という言い訳が常に成り立つからです。

たとえば恋愛の末、結婚をして夫婦になった。しかし十年経ってみて相手のことが嫌になった。別に珍しいことではありません。

このときに、「私は私」という意識が前提になっているとどう思うか。「あのとき、あの人を好きだと思っていた自分は本当の自分ではなかった」という論理が展開できるわけです。「今、あの人を見るだけで虫唾《むしず》が走る。その気持ちを持っている自分が実は本当の私なんだ」ということです。

「本当の自分」は無敵の論理

この論理はいくらでも自由に使えます。個人に限らず、たとえば戦争中と戦後の日本の変化についても使えるわけです。

「あの時は血迷って戦争をしかけたけれども、あれは本当の私たちではないのです。今の平和な私こそが本当の私です」ということです。どんなに自分が変わろうと、常に今現在の自分を「本当の自分」だとしておく。「変わった部分は自分じゃない」とする。

本当はそんなはずはないのだけれど、これを繰り返していれば、いずれ寿命は来ます。

だから、論理としてはおかしくても、破綻はしないということになる。最後は死んだ自分が本当の自分で、「話が違う」と言われたところで痛くも痒くもありません。

もちろん、日常生活のなかで「あの時は考えが足りなかった」と反省をするということは悪いことではありません。「男を見る眼がなかった」という人もたくさんいることでしょう。

ここで問題にしているのはそういうことではなくて、「あの時の自分は、本当の自分ではなかった。本当の自分を見失っていた」という理屈です。

そんなことはあり得ないのです。今、そこにいるお前はお前だろう、それ以外のお前なんてどこにいるんだ、ということなのです。「自分探し」などと言いますが、「本当の自分」を見つけるのは実に簡単です。

今そこにいるのです。

死ねない

近代化とは、人間が自分を不変の存在、すなわち情報であると勘違いしたことでもあるのです。それ以来、実は人間は「死ねない」存在になってきました。

これが近代特有の意識であることは昔の文学を読めばわかります。『平家物語』や『方丈記』など、中世の日本文学に代表される思想というのは、人間は移り変わるものだ、という考え方だったのです。この考え方が情報化が進むことで消えてしまった。

そうした近代化を典型的に示したのが、明治時代に作られた戸籍制度です。それまでは幼名があって、元服すれば名前が変わって……ということだったのに、一度生まれたら名前が変わらないことになった。

当たり前じゃないか、と仰るかもしれないが、そうでしょうか。生後すぐの赤ん坊の私と、年をとって爺さんになった私とが同じ人間であるはずはない。そう思うほうが当たり前ではないでしょうか。

これがまさに人間が情報化してしまったことを示すわかりやすい例です。

こんなふうに情報と化した自分のことを、明治時代以来、日本のインテリと言われる人たちは「西洋近代的自我」などと呼んでみたりしたのです。それをありがたがっていたと言ってもいい。そして「個人」というものとそれを混同していった。

「日本人には個性が無い」「没個性だ」とか何とかいう物言いは随分聞かされたでしょう。これも「西洋近代的自我」という考え方の影響です。個性は身体に備わっているものなのに、それが意識にあるものだという勘違いが蔓延していることについては、これまでも何度も指摘してきました。この勘違いから、「日本人は没個性」云々という類の言い方が出てくるのです。

死とウンコ

恐らく夏目漱石は、この「西洋近代的自我」という問題について意識的だったのではないかという気がします。彼の言うところの「則天去私」というのは、そういうことだったのではないか。

「則天去私」というのは晩年の漱石が作った言葉です。天に則って私を去る、「私」なんてない、というのは「西洋近代的自我」すなわち「私は私であり、その個性は意識にのみある」という考え方に対する、日本人としての反発だったのではないでしょうか。

戸籍制度や漱石の思想から見れば、こうした近代化というのは明治時代に始まったと考えられます。しかし、日本の場合、こうした思い込みがここまで確立されたのは戦後でしょう。戦後は、それまでの日本的な考え方を「封建的」の一言で片付けてしまった。今では葬式といえば火葬があたりまえですが、高度成長期の前までは土葬も別に非常識な手法ではなかった。これがあっという間に、より死体を遠ざける方向に向かっていった。出来るだけ「死」を日常生活から離していった。考えないようになった。

ほぼ同じ時期にトイレでも同じようなことが起きた。つまり水洗便所の普及です。あれは人間が自然のものとして出すものをなるべく見えないように、感じないようにしたものです。

排便は、人間が自然のものとして存在している以上、どうしても避けられないことです。そういう生と不可分のマイナスの面を排除してきたのです。もちろん、便に接するのが大好きという人は少数派でしょうが。

短絡的な人には怒られるかもしれないけれど、ウンコを出すということ、死ぬということ、いずれも自然の必然という点では一緒です。が、それを見ないように見ないようにしてきた。できるだけ視界から遠ざけてきたのです。

身体が消えた

同様に戦後消えていったものはたくさんあります。お母さんが電車の中でお乳を子供に与える姿も見なくなって久しいように思います。

肉体労働者がフンドシ一丁で働かなくなったのはもっと前からのような気がします。かつては防空壕でも何でも夏の暑い時にはフンドシ一丁で穴を掘っていた。ところが今ではどんなに暑くても皆、ヘルメットと作業服を着ている。ピンクの派手なズボンを穿《は》いている作業員もいる。

このへんのことには皆、共通の感覚があるのがおわかりでしょうか。身体に関することが、どんどん消されていったのです。

これは都市化とともに起こってきたことです。それも暗黙のうちに起こることです。世界中どこでも都市化すると法律で決めたわけでも何でもありません。それでもほぼ似たような状態になります。これは意識が同じ方向性もしくは傾向をもっているからです。

裸の都市ギリシャ

都市であるにもかかわらず、異質な存在だったのが古代ギリシャです。ギリシャ人はアテネというあれだけの都市社会を作っておきながら、裸の場所を残していたのですから。彼らにとっては裸が非常に身近だった。

誰もが知っているのがオリンピックです。これはもともとは全裸で行っていた大会です。マラソンだって何だって全裸です。マンガや絵本のようにイチジクの葉なんか付けていません。

スポーツに限らず、教育機関、当時のギムナジウム（青少年のための訓練所）でも皆裸でした。

もともとギムナジウムという言葉は「裸」を意味していたのです。そこでは青年だけを教育していた。若い男の子ばかりが裸で教育を受けていたわけです。このへんが後世に誤解されて何だか同性愛者の巣窟《そうくつ》みたいなイメージに取られていますがそうではない。

まあ、そういう嗜好の先生もいたのでしょうが、全員が裸だというのはそういう狙いがあったからではない。おそらく裸であることの根拠は今で言う「裸の付き合い」というのに非常に近かったのではないか。

アテネ型の民主主義の前提は、市民全員が平等だということです。これは誰でも裸の付き合いが出来る、ということでしょう。着ている物や何かで判断を受けない。若い人たちはギムナジウムでは平等だった。民主主義の原点は「裸の付き合い」にあった、というのは興味深いことです。

ちなみに、女性は裸ではなかったようです。これは「女性の血は冷たい」という説、要は冷え性だということらしいのですが、それが理由だったそうです。

ギリシャとは異なり、ローマ帝国にはこうした「裸の文化」はなかった。もちろん、共同浴場とかそういう場所では裸になっていました。しかし、別にそれは社会の制度と結びついていたわけではありません。

ルネッサンス時代の彫刻は、ギリシャ時代の裸のモデルの彫刻を写したものですが、別にルネッサンス時代の人々が裸だったわけではない。レオナルド・ダ・ヴィンチは裸で暮らしていたわけではありません。彼らの彫刻の題材が裸であっても、それは着物を着た連中が裸を創っているわけです。よく一緒にされてしまいがちですが、ギリシャ彫刻のように、もともと裸で過ごしていた人たちが裸の彫刻を創るのとでは、意味がまったく違うのです。

もちろん、今ではなぜ古代ギリシャ人たちが裸だったのか、文献で証明することは出来ません。そんなことの理由をくわしく書いている本はないのです。こういう共同体全体が持っている無意識のルールというのは、往々にして記録されません。

ただし、彼らにとって今の私たちよりも身体というものが身近だったのは間違いないし、それが社会的に何らかの作用をしていたと考えていいのではないでしょうか。

死が身近だった中世

話を日本に戻します。要は近代以降、身体に代表される自然というものを、出来るだけ遠ざけてきたのは間違いない。よく私が例としてあげるのは、中世に描かれた「九相《くそう》詩絵巻《しえまき》」という絵画です。ここでは死体が少しずつ腐っていく様、朽ち果てていく様が、極めてリアルに描かれています。

自然科学などという概念がない時代ですが、きちんと観察しているので現代の目で見ても正確な描写です。もともとは生きた美女だったのが、死んで身体がいったん膨張して、その後腐っていきます。最後は当然、骸骨となります。さらに人間型の骸骨だったのがバラバラになるところまで描かれています。

これが描かれた頃、「死」というものは非常に身近だったことがわかります。そうでなければそんなにリアルに描けるものではないでしょう。

とんち話で有名な一休和尚は、室町時代の臨済宗の僧侶です。一般には、橋の真ん中を渡ったとか屛風《びょうぶ》の虎を追い出させようとしたとかそんな話が有名です。そういう愉快な話が多いのも事実ですが、その一方で死に関する作品も多く残しています。残した短歌にも、ごく普通に死にまつわる光景が出てきます。たとえば、『一休和尚法語』という著作のなかにはこんな歌があります。

煙たつ野べのあはれをいつまでか　よそに見なして身は残りなん

他に『一休骸骨』には、

世をうしとおもひとりべの夕煙、よそのあはれといつまでかみん

『一休御一代記図会』には、

時めきし人の無常に誘《さそはれ》て　つひには野辺の煙とぞ成

ここにある「煙」は、いずれも死体を焼く煙です。当時はあちこちでこういう煙が日常的に上がっているのを目にしたのでしょう。その煙を見ながら、いつかは人はああなるのだという気持ち、この世の無常を詠んだ歌です。

一休和尚は「浄土は皆身《みなみ》にある」という言葉も残しています。この「皆身」は浄土がある「南」と「全身」というのを掛けている。いわば駄洒落みたいなものですが、これも真理ではないでしょうか。『一休骸骨』のなかには、骸骨がまるで生きている人間のように生活をしている絵が多数描かれています。

死の文化

どうしても中世の話が多くなってしまいますが、『平家物語』も死が大きなテーマになっていると読めます。ある種のレクイエムといってもいいでしょう。なぜなら、登場人物のほとんどが物語のなかで死んでしまうのです。

登場人物で最後まで生き残るのは、後白河法皇とあと数人だけです。主要な登場人物は平清盛にせよ誰にせよ皆死んでしまう。今の映画や小説と比べてみると、随分暗い話だということになる。

しかし、おそらく当時の人はこれを暗いというふうには受け止めていなかったのではないかという気がします。「九相詩絵巻」に描かれたように、「死」というものは日常的に身近にあったのです。

「死」または死体が身近だった、ということはなかなかピンと来ないかもしれません。でも、その名残は今でもあちこちにあるのです。

私の住んでいる鎌倉のすぐそばには海岸があります。最近ここから鎌倉時代の人骨がたくさん出た。海岸に死体を埋めると骨が溶けずに残るのでこういうことは珍しくない。通常の関東ローム層は酸性土壌だから、骨が溶けてしまう。関東ローム層のあの赤土は、箱根とか富士山とか浅間の噴火の積もったやつで、そこに骨を埋めるとやがて溶けてしまいます。旧石器の石器は出るけど人骨は出ない。人骨は消えてしまう。

それが鎌倉には例外的に大量に残っている。だから駐車場を作ろうとしたら数千体もの人骨が出てきたのです。

考えてみれば当たり前で、中世に鎌倉に十万人の人が住んでいたとしたら、同じ数の死体が出たことになる。そしてこれをどうしたかといえば、そのへんに埋めていたわけです。

そもそも火葬するわけにはいかない。ガソリンなんて無い時代だから、一々燃やしていたら薪が足りなくなる。近所の山を全部裸にしても足りない。疫病でも流行れば一度に何千という死体が出る。これを燃やしていては大変です。だから土葬にしていた。

よほど身分が高くて、他の死体と同じように晒《さら》すわけにはいかない人ならば、小屋を建ててその小屋ごと焼いてしまうというようなこともしたようです。が、普通の人は捨てられて「九相詩絵巻」と同じような状態になっていったはずです。

これも「死」が身近だったということの一例です。近代化、あるいは都市化が進むにつれてこれをどんどん近代人は遠ざけていったのです。そして、もしかするとこんなふうに言う人がいるかもしれません。

「それのどこが悪い。臭いし気持ち悪いんだから、死だの死体だのは見たくもないし、考えたくもない」

こういう反応が普通なのかもしれません。だからこそ死体は排除される一方です。しかし、それでも相変わらず死体は発生するのです。

便を無くすことが出来ないのと同様に、死体を消すことは出来ないのです。

となると、「死だの死体だのは見たくもないし、考えたくもない」という姿勢は、当たり前のことを見ようとしていないということに他ならないのです。死体が気持ち悪い、というのは当然の常識だと思うかもしれません。でもそれは都会の常識に過ぎないかもしれないでしょう。

田舎においても気持ち悪いでしょうが、それは都会における気持ち悪さとは程度や質が違うかもしれません。インドのガンジス川あたりに住んでいる人とはますます違う。沐浴している横を死体がプカプカ浮かんで流れていくのですから。おそらく彼らは死体を気持ち悪いとも思っていないのではないかと思います。どう思っているかといえば、「俺もいずれああなる」というくらいではないでしょうか。

葬式の人間模様

現代人が死について考える機会としてもっとも身近なものが葬式でしょう。「結婚式はつまらないけれど、葬式は面白い」と書いたことがあります。旧約聖書の『コヘレトの言葉』には、「弔いの家に行くのは酒宴の家に行くのにまさる。そこには人皆の終りがある。命あるものよ、心せよ」と書いています。トルストイの『アンナ・カレーニナ』の書き出しには、「幸福な家庭はすべて互いに似かよったものであり、不幸な家庭はどこもその不幸のおもむきが異なっているものである」（木村浩・訳）とあります。それはまさに葬式の時に見事に出ているわけです。結婚式よりも葬式のほうが「主役」の個性は出ます。

がんばって特色を出そうとしても、結婚式というのはどれも大差ない。大体似通った年齢の男女が出てくるのだから。しかし、葬式は故人、家族によって実に違います。葬式は故人の集大成のようなものです。かなり偉い人のお葬式なのに、広い会場にほとんど参列者がいないということもあります。

ある葬儀に、いつものように遺体を引き取りに行ったら何となく普通の葬儀と違う雰囲気だった。しかし、行く前にはどんなご家庭かなんてことは調べません。さて棺を乗せた車が出発することになったら、参列者が全員整列して『インターナショナル』を歌い始めた。解剖するために教室に持ち帰って、その棺の蓋を開けたら、赤い旗にくるんであった。赤旗です。亡くなったのは共産党員の方でした。

ちなみに、解剖をした死体というのは、遺族の希望次第でお骨を届けることはしますが、それ以上に個々の方に違った対応を私はしません。これは対象が偉い人でもそうじゃなくても一緒です。

このときも、追悼文みたいなものを書いてくれないかとご遺族に頼まれましたが、書きませんでした。死体になったらみんな平等だと私は思っているからです。

こういう平等さというのは、日本的なところです。それは日本人的美質といってもいいのではないかと思っています。

靖国神社についても色々といわれていますが、私たちの文化では、死んだら平等、戦犯も何も無いというのは不思議なことではないのです。それが証拠に、お墓はほとんど同じようなものです。天皇陵を除けば、一般人のお墓の大きさに大差はない。金持ちほど豪華な墓を作るというような国もあるようですが、日本では、生前金持ちだと立派だということは多少あるにせよ、死んだあとの扱いは皆似たようなものです。

実感がない

現代人に比べて昔の人にとってのほうが死が身近だったといっても、別に彼らにとって死が怖くなかったというわけではないでしょう。しかし、おそらく私たちよりもたくさん身近に見ているぶんだけ実感があったのではないでしょうか。

首吊りをしようとしてロープが切れたら尻餅をついて「ああ、死ぬかと思った」と言った奴がいるというのは、現代人の死についての感覚がよく現れています。実感がないのです。

ビルの屋上で「飛び降りるぞ」と騒いでいる奴を突き飛ばそうとしたら、慌てて「危ないじゃないか」と言うようなものです。いずれも、「死にたい」「死ぬぞ」という言葉で出てくる死は、自分の思い込みのなかだけの死です。実際の死とは異なる。その人自身、死がどういうものかわかっていない。

しかし、「死ぬかと思った」「危ないじゃないか」のほうが、本当の死に近い感覚なのだと思います。

現代人にとって「死」は実在ではなくなってきている。死が本気じゃなくなってきたと言ってもいい。よきにつけ悪しきにつけ、昔の人には生きていくうえで死が前提としてあったのではないでしょうか。

宅間守の怖さ

ここで補足的に述べておくと、死が身近にあるということは、必ずしもいい結果ばかりを招くわけではありません。山本七平氏は、死を前提にした人間ほどたちが悪いものはないという主旨の指摘をしています。要するに、こういう人には世間の論理は通じないからです。

山本氏は著書『一下級将校の見た帝国陸軍』のなかで「死者の特権」という言葉を用いて次のように説明しています。

（前略）死者には、戦場も階級も組織もない。生者はこれに影響力を行使し得ない。従って、この位置に、常に、明確に自らを置いているものは、超法規的に一切を支配しうる。

ここで述べられているのは、生きている人間は死者に対して何も支配できない、そして生きているにもかかわらず、自らを死者と同じだと思っている人間は、世の中の法律も何も通じないということです。山本氏は帝国陸軍についての分析をしていくうちに、こういうことを考えるようになったのです。

彼によれば、帝国陸軍は「陛下のために死ぬこと」を前提にしていた。それはすなわち「生きながら自らを死者と規定」していた人間の集団であった。

そんなのは昔の話だろうと思われるかもしれませんが、こういう、死を前提としてしまった人は、現代にも時々現れます。

最悪の例として、大阪池田小児童殺傷事件の犯人、宅間守があげられるように思います。彼に反省しろだの何だの言っても何の意味も無い。死刑を逃れようともしなかったことから見ても、死を前提にして生きていたタイプの人なのでしょう。

もちろん、宅間と陸軍とはまったく別のもので、同列に語るつもりはありません。ここで言いたいのは、宅間は死を前提にしたために「階級も組織もない」という立場に立つようになった。そのため「生者はこれに影響力を行使し得ない」。要するに、彼には法律だの世間の常識だのが通用しなくなったということです。

派出所の不遜

現代人は、自分が死なないと考えると同時に死を遠ざけてきました。それは前述したように、身体を遠ざけてきたのと根本は同じです。意識中心になりすぎてしまって身体が忘れられてしまったのです。当然、自然の一部でもある死が実在ではなくなってきます。

死が実在でなくなったことについては、派出所の看板が象徴的です。あれを見ればいかに死を実在でないと考えているかがよくわかります。なぜならあそこにある死亡事故の看板には数字が書いてあるだけなのです。「昨日の交通事故死者一名」と。

そこでは人の死を単なる数字に置きかえてしまっているのです。見るほうには何の実感もわかない。むしろ故意に実感がわかないようにしているのではないか、という気もします。

もしも事故の防止が狙いならば現場の写真でも飾ればよいが、そんなことはしない。何なら事故死した死体の標本でもいい。それが「一」という数字に置き換えられている。死んだのは老人かもしれないし、働き盛りのサラリーマンだったかもしれないし、子どもかもしれません。それぞれ別の人間です。しかし、派出所に書いてあるのは、顔のない死者が「一」人出たというだけです。

ゲームの中の死体

おそらく、教育の現場でも死を遠ざけています。死体を見せたら情操教育に悪いと言うかもしれません。しかし、そんなことを言ったら私はどうなるか。何十年も死体を解剖し続けてきました。こんなに情操教育に悪いことはない。しかし、幸いにも別に暴力的な人間にはなっていないと思います。

ここで誤解されては困るのは、別に「子供に暴力的な映画をどんどん見せなさい」「ゲームの残虐シーンを規制するのはやめなさい」と言いたいわけではないということです。日常、こうした娯楽で見る「死」というのは、どんなにリアルに見えても実在ではないのです。こういうものは、あくまでもイマジネーションとしての死体です。実際の死体とは説得力が明らかに違います。

実際の死体のほうが怖いということではありません。むしろ逆です。イマジネーションの死体のほうがよほどグロテスクだったりするのです。

実際の死体は非常に静かなものです。見ると「何だこんなものか」という印象を持つ方が多いのではないでしょうか。お葬式などで遺体をご覧になって気持ち悪いと思う方は少ないはずです。

大体、人間は想像のほうを膨らませてしまうものなのです。勝手に想像して本物より怖いものだと思ってしまう。地震や火事も、実際に起こったら怖がっている暇はないのです。ふだんとはまったく違う精神状態になるから、パニックになるか、変に落ち着いてしまったりするかのどちらかです。

死体についてもそうで、解剖学教室なんてところは死体がゴロゴロしているからホラー小説や映画よりもよほど怖いと思われるかもしれません。でも実際は、その逆です。ホラーのほうがよほど怖い。

考えてみれば、怖く作っているのだから当たり前です。死体は怖くしようとして作られているものではありません。実際に解剖学教室で実習中に気持ち悪くなる学生なんて滅多にいません。たまに一人くらいは貧血を起こす学生がいますが、それは寝不足とか体調不良とか別の理由なんじゃないかと思います。

ですから、子供に「死」を教えるということに関して言えば、少なくとも映画やゲームは何の意味もない。それは本物の死とは関係ないものです。

それよりは葬式に連れて行って、本物の死体を見せたほうがいい。そうすれば「幽霊の正体見たり枯れ尾花」となって無闇に怖がったりはしないはずです。

少なくとも、人はいずれこうなるという真理を教えることには役立つのではないでしょうか。

第三章　生死の境目

生とは何か

生死の境目というのがどこかにきちんとあると思われているかもしれません。そして、医者ならばそれがわかるはずだと思われるかもしれません。

しかし、この定義は非常に難しいのです。というのも、「生きている」という状態の定義が出来ないと、この境目も定義出来ません。嘘のように思われるかもしれませんが、その定義は実はきちんと出来ていない。

以前、生物学の教科書を作るときに、「死」についての説明を入れようとしたら断られたことがありました。

その理由は、現場の先生がそんなことを教えられないからだというのです。なぜ教えられないかといえば、生物学は経験科学だからだというのです。大雑把に言えば、「経験していないことは教えられない」というわけです。

生死が定義づけられないとなると、「死」という瞬間もないことになります。しかしもちろん、「生死」という言葉がある以上は、間に切れ目があるということが前提になります。

どういう形にせよ、社会の制度としては切れ目を決めることを求められます。その線引きが必要とされる。実体とは関係なく、言葉で作っている法律ではそれを規定することが出来ます。現に社会の通念として、死亡診断書には死亡時刻を書くことになっている。そして、そこでは「この時点から死だ」ということは決まっているわけです。

生物学の立場とは関係なく、科学的な定義づけが出来ていようがいまいが、ずっとそういうことになっているのです。

診断書は無関係

従って医者は死亡診断書を書くにあたって、死亡時刻を空欄にしておくことは許されません。それで死亡時刻、すなわち「死の瞬間」が決定されるのです。しかし、それは言葉の上でそう決めたことに過ぎません。実体としての「死の瞬間」とは別のものです。

脳死が議論される前は、とりあえず大多数の人が心臓が止まることを死だとしていました。しかし、それとて一つの定義に過ぎません。

こんなふうに実体と関係なく、何かに境界線を引いたり、定義出来たりするというのは言葉のもつ典型的な働きです。言い換えれば「死の瞬間」というのは「生死」という言葉を作った時点で出来てしまった概念に過ぎず、実際には存在していない、と言ってもいいでしょう。

とりあえず、現代では脳死が死だというふうに捉える人もいるでしょう。この脳死の是非について議論されているときには、「脳の神経細胞が全部死んだ時点」が脳死であると主張する人もいました。

しかし、これとて一体どの時点で全部死んだとわかるのか。実はわからないのです。そもそもどうして数多くの細胞のなかから脳の神経細胞だけを特別視するのでしょうか。

その根拠も明確ではないのです。

「皮膚や筋肉を差別しているのではないかという考え方だってあり得る。しかもそういう筋肉は脳死の後に電気を流したらよく動くんだ」と書いたら、「不謹慎だ」と怒られたこともあります。どうも、フランケンシュタインか何かみたいに死体に電流を流して生き返らせようとしている姿を連想されたのかもしれません。

しかし、別に人間ではなくネズミの死体に電流を流してみても、筋肉に反応があることはわかることです。

境界はあいまい

電流を流すまでもなく、亡くなったあとのお爺ちゃん、お婆ちゃんのヒゲや髪の毛が伸びたというのはよく聞く話でしょう。つまり、脳死のあとでも筋肉なり皮膚の細胞の一部は生きているのです。

こう考えれば、「生死の境目」「死の瞬間」が厳格に存在しているというのは勝手な思い込みに過ぎないことがわかるはずです。法律上の定義が、死の全貌を示しているとどこかで思い込んだから生じた誤解に過ぎません。人が本当にどの時点で死んだのかというのは実は決定できない。

「九相詩絵巻」はそのことも伝えています。どんどん腐乱していってもそれが誰かとわかる時点では、それはその人なのです。誰だかわからなくなってしまっても、まだ人間だということはわかる。それがもう少し行って、本当に骨がバラバラになっても、DNAを解析すれば本人だという特定は出来ます。

本当に極端に言えば、分子まで分解してしまわないと、その人でなくなるとはいえないかもしれません。そこまですれば、痕跡までなくなります。個体としては存在しなくなるということは言えるわけでしょう。これが死だという考え方だって出来る。

「生」の定義

ここでもう一度「生」とはどういうことかを考えてみましょう。ちょっと考えれば、この定義が思った以上に難しいことがわかります。

「生」とはどういうことかというのは、そのまま生き物とは何かという定義になります。

生き物というのは、一見いつも同じ状態を保っているけれども、それを構成している要素は絶えず入れ替わるという性質を持っています。

自動車にたとえれば、人間は走りっぱなしみたいな状態でいるわけです。自動車はエンジンを切ったら止まり、その後でまた動かすことが出来る。人間はそうはいかないから生きている間はずっと走りっぱなしです。

しかもただ走りっぱなしなのではなく、常に部品を交換しながら走りつづけている。交換しながら走っているということは、部品が複数あるということです。一つしかない部品を交換しながら走っていたら事故になる。無数にある部品を、走るのに支障がないように交換しながら走っているわけです。

クエン酸回路

実際の人間の身体の中でこれにあたる現象を説明しているモデルの一つが、「クエン酸回路」(またはクレブス回路)です。「クエン酸回路」は、細胞内のミトコンドリアで行われている代謝のシステムです。細胞の外から入ってきた物質を分解して、その過程で要らないものやエネルギーを発生させる。

クエン酸回路を、化学物質の名前などを省略して図式化して説明してみます。椅子取りゲームみたいなものをイメージしていただくとわかりやすいでしょう。

ここに椅子が十脚横にズラリと並んでいます。そこに人が十人坐っている。椅子のナンバーは右端から①、②、③……で左端が⑩とします。それぞれ坐っている人は椅子と同じナンバーの①〜⑩と書いたTシャツを身に着けている。

そこへ右端から新しいメンバーが一人やってきたら、「せーの」で一斉に十人が立ち上がり、一つずつ左へずれて坐る。このときに、Tシャツを脱いで椅子に置いて行き、新しく坐る人が身に付ける。当然、左端に坐っていた人はあふれてしまうので立ち上がってしまう。でも、依然として椅子に十人坐っている状態は変わらない。それぞれの席にきちんとナンバーを身につけた人もいる。外から見ると、最初と同じようにナンバー①からナンバー⑩までが並んで坐っていることになります。

このときに行列に新しく入ってくるメンバーが、細胞の外から入ってくる要素です。「せーの」で動くときに水や炭酸ガスが発生したり、エネルギーが発生したりします。

もっと乱暴に短くたとえれば学校みたいなものです。毎年学年の人数は決まっているけれども、その構成員は違う。毎年新入生が同じだけ入って、同じだけ卒業生が出れば、学校にいる子どもの数はまったく同じです。とりあえず、途中でグレて退学者が出るとか不登校児がいるとかそういうことは考えないでください。そうすると、いつ見に行っても、同じ数の生徒が校内にいるのです。

こういう繰り返しが身体や細胞の中で常に行われているのです。

細胞の中ではなく、細胞の集まりである皮膚を例にとってみます。皮膚の一番下には細胞が分裂する層があって、その上には、それとちょっと異なる細胞の層がある。さらにその上にはまたちょっと異なる層がある。それが何層もあって、一番上の層は時間が経つとやがて垢《あか》になって落ちてしまう。

でも、そのときには下の層がひとつずつその一つ上の層に形を変えていっている。だから層の構造は変わらないまま、実は新しい皮膚になっている。

システムの連鎖

結局、生物というのはこういうサイクルを常に自分の身体のなかでグルグル回しつづけているものだといえます。イメージとしては、小さなサイクルがたくさんあって、その小さなサイクルが集まって大きなサイクルを作っていて、それがまたグルグル回って常に新しいものを作りつづけているようなものです。

このサイクルを繰り返しているものを私は「システム」と呼んでいます。

ここでいう「システム」という言葉は、通常新聞やテレビなどで耳にされているのとは少し違う意味で私は使っています。非常に大雑把にいえば、「情報」が頭で作ったもの、意識の産物なのに対して、システムは有機的なものという意味で使っていると思ってください。細胞に代表される生き物はシステムです。もちろん、人間の身体もシステムです。人間の集合体である世間もシステムだと捉えています。

別の言い方をすれば、システムというのは「実体」だと言ってもいいかもしれません。これに対して「情報」は、記号情報、簡単にいえば、文字、音声、映像などのことです。これらは脳で解釈されたときに、本当の情報になります。

ちなみに、データと情報の違いというのがここにあります。たとえば病院での検査結果のデータというのは、一般の人にはよくわからない数字の羅列に過ぎません。これが医者を介して説明されて、ようやく頭に入る情報になります。難しい言い方をすれば、情報は記号と記号の解釈装置から成り立っているということになる。

システムというのは、あるはっきりした空間的な限界を持っていて、その中で複雑な要素、非常に多数の要素がそれぞれ絡み合って、しかも一見したところ安定した状態を保っているもののことです。難しく言っていますが、私たちの身体はシステムの集合体で出来ているシステムだと考えてください。

システムには、安定性と可変性があります。しょっちゅう変わっているくせに安定しているという、手品みたいな話です。

椅子取りゲームのたとえでいえば、どの状態でも止めて見ると、同じように人が坐っている。これは安定性です。その一方で次々、外からは新しい人がやってくるし、列から離れていく人もいる。その運動でエネルギーやら水やらが発生している。しかも出て行った人が、また別の列に並んでいたりする。これが可変性です。

古新聞とトイレットペーパーみたいなもので、理想的にいえばいくらでもサイクルが繰り返されて延々と続けられるはずなんです。ところがこのサイクルにもどうしてもロスが生じてしまう。ゴミが出る。そうすると全体が衰えていきます。

去年の「私」は別人

見た目は大差なくても、去年のあなたと今年のあなたではまるで違う。学校に大雑把に見れば同じ数の生徒がいるのだけれど、細かく見れば顔ぶれが毎年変化するのと同じです。

人間の身体の七〇パーセントは水です。その九九・九九パーセントは去年と今では入れ替わっています。クエン酸回路で説明した通り、水ではない部分も、相当入れ替わっている。

これが自動車ならば部品を九割も取り替えていたら別の車だといってもいいかもしれません。しかし、サイクルがきちんと回っているときにはある種の安定性がありますから、一見したところ去年も今も変わっていないのです。椅子取りゲームで常に①〜⑩が揃っているのと同じです。

だから醜男《ぶおとこ》が急に美男になるというようなことは残念ながら起きません。老化というのはこのサイクルが上手く回らなくなってきたときに起きる現象です。

少なくとも生きている生物はこのサイクルを繰り返していることになります。脳死のあとでもこのサイクルは身体の一部では動いているし、電流を流せば動くところもある。そのどの時点が生であるということすら定義出来ていないのだから、どの時点からが死かというのもまた定義は出来ない。

絶対死んでいる人

一時期、脳死の問題で揉めたのも当然のことでしょう。客観的に決められると思っていた生死の境目は実はそう簡単なものではなかったのですから。それまでは法律に則して死亡時刻を決めるように、客観的に決められるとどこかで思っていたのですが、そんなことは、決められやしないのです。

江戸時代の解剖の対象は、刑死体でした。なぜ罪人しか使えなかったかも生死の境目と関係があります。要は、とにかく切ってしまっても構わない人を解剖に回していたということだったのです。死ぬしか仕方がなかった人と言ってもいい。

こういう人に対しては、「もしも生きていたらどうする」という心配をしなくてもいい。それを厳密にやりだすと、骨になるまで見届けないといけなくなる。骨になるまで待って、「ここまで見たからいいだろう。これでも死んでないっていうのか」ということになってしまいます。その時点では解剖しても意味がないのは言うまでもありません。

そんな心配が不要な人は、死刑囚だけだったのです。死刑囚なら、首を斬った後ひょっとして生き返るかも知れないと言われても、「大丈夫、これはもう死なきゃいけない人なんだから」という論理が成り立った。だから、当時の解剖は死刑囚が対象だったわけです。

日本において問題の中心になっていたのは、あくまでも社会が一致して決める「死」のようです。脳死についての議論でも、一見科学の話のようでも、問題となっているのはあくまでも社会が決める「死」です。

生きている骨

ところが、それを「死」の科学的な定義付けが議論されて片が付いたと思っている人が多いのです。科学、法律の両面から検討して脳死についての意見の一致を見た、正しい結論が出たのだろう、と。

実際は全然そうではないのです。

脳死についての議論が活発だった頃、「脳死とは、これから先は死に向かって、不可逆的に進行する過程になる状態である」と書いた人がいました。要は生きているほうに後戻りできない状態、それが脳死である、というのです。

もっともらしく聞こえるのですが、よく考えればおかしな言い分です。人間というのは、生まれた時から死に向かって不可逆的に進行する存在なのです。後戻りは出来ません。誰もがそういう状態であることと、その人がイメージしているところの「死」とはどう区別出来るのでしょうか。

身体というシステムで繰り返されているサイクルの活動は、脳死のあとも続きます。小さなサイクルはグルグルグル回り続けています。だから死後もヒゲが伸びるのです。

しかし、脳または心臓というもっと大きなサイクルは止まった、と。今の時点での社会的に言うところの「死の瞬間」というのは、単にこの大きなサイクルが止まったのをそうだとしようと、とりあえず決めたということに過ぎません。

現実問題としては、このサイクルが全部止まるのを待つのは大変です。骨になったといっても、その直前まで何か他のものが残っているということも無いとはいえない。

また別の見方をすれば、骨になってもある種の機能は残っていることになります。骨の機能の一つは筋肉なり臓器なり身体の重みを支えることだと考えます。そうすると、その機能は死んだあと、骸骨になっても残ります。マンモスの骨で昔の人は家や武器を作ったりしていたわけで、それは機能が残っているからに他なりません。

結局、こういう細かいことは科学的に考えていくと定義は不可能です。また、臓器移植の問題が出てくるまでは、そんなことを細かく考えなくても済んでいた。だからいわゆる三徴候の死を、死としていた。三徴候とは、(1)自発呼吸がとまる、(2)心拍がとまる、(3)瞳孔が開く、です。

ところが、臓器移植の問題が出てきたときに「ハテ」となってしまったわけです。何かパンドラの箱を開けたようなもので、皆が考えたくなかった問題を突きつけられた。

もともと自分が死ぬのは何かの間違いだと思っている現代人ばかり揃っています。「何で俺が死ななくちゃならねえんだ」と思っている時に、「でも、一体どこから死んだってことにするんだ」という議論を吹っかけられても、「ああ、面倒くせえ」としかならない。

はっきり言えることは、今の時点では結局「生死の境」は死亡診断書にしか存在していないということです。そしてそれは社会的な死に過ぎないということ。そういう決め事はしておかないと遺産相続書が書けないとかそういう事情からなのです。

ですから、実は「臓器移植法」を見ると、そのことはよく表れています。そこには「脳死は死である」とは書いていないのです。単に脳死状態の患者からは臓器を移植してもよいということしか書いていない。

この問題はあまり厳密にこだわるとまずいことになるからあまり誰も言わないだけです。脳死者から臓器移植していいというのは、どうせなら鮮度がいい臓器がいいという事情から決めたのに過ぎません。

判定基準

脳死イコール「死」とはならないと申し上げてきました。

ただし、脳機能と意識が並行しているということには、殆ど疑いの余地は無いと思います。脳が一切電気活動を起こしていないとき、つまり測定して脳波が無いときには意識が無いであろう、と考えられます。その例外として、脳波は取れていないけれども活動しているという状態があることも、ある程度わかっています。

というのも検知する脳波にも限度があるからです。外部から完璧には計れないし、針を突っ込んで神経細胞の活動を見ているわけではない。

だから、それだけで判断するのは危険なので、他にも脳死の判定基準が決められています。基本的には脳の血流を調べる。脳の中の血管造影をすれば、もう血が通っていないということが歴然としてわかります。

さらにもっと細かく聴性脳幹反応というのも調べます。このように、脳が機能しているかどうかということを、現在の知識で出来るだけ細かく調べて判定をしているのです。

ですから、脳死イコール死ではないといっても、その判定は厳格に行われており、素人目に死んでいるから「この人は死んでいるみたいだ」というような乱暴な判断をしているわけではまったくありません。

誰が患者を殺したか

ハロルド・L・クローアンズという米国の神経内科医師は、『生と死とその間』（白揚社）という著書のなかで、自らが経験した心臓移植初期の頃の興味深いエピソードを描いています。

「一番になるということ」と題されたその項の舞台は、一九六〇年代の終わり頃です。この当時、米国ではあちこちの病院で「この地域で一番最初に心臓移植手術をした」という称号のために競争をしていた。クローアンズの勤務する病院も「移植を行った最初のチーム」を作ろうとしていた。

クローアンズは神経内科医なので、心臓移植手術自体には関わっていません。しかし、ドナー（臓器提供者）候補の患者の死亡の判定は彼が行うことになっていました。なぜなら移植手術を行う医師が死亡の判定をすると、移植やりたさに「勇み足」をやりかねない。当初、クローアンズは、前述のような通常の手順にのっとって「死の判定」をすればいいんだろう、と比較的軽く考えていたそうです。

ある日、彼の病院にドナー候補の患者が運び込まれてきました。交通事故を起こした二十五歳の男性で、「事故現場では明らかに死んでいた」と見られ、ドナー候補とされたわけです。少なくとも救急の現場では、「死んでいるのでは」と思われる状態だった。

さてクローアンズが集中治療室に行くと、付き添いの女性がいた。患者のフィアンセです。クローアンズは彼女に話し掛けるのですが、まったく反応が無い。そして見た目もどこかちょっとおかしい。「四十年は時代遅れの服」を着ていた。

もちろん、患者は何も言いません。「死んでいるのでは」と思われるくらいだから当たり前です。しかし、瞳孔反応を調べるために目にライトを当てると正常に反応する。つまり彼は生きているし、脳幹部は機能していた。

ではなぜ、この男性は「死んでいる」と判定されかけたのか。実は彼は聴覚障害者だったのです。そして事故の際に頸髄損傷を負っていた。そして呼吸器を口に突っ込まれていた。そうするとどういう状態か。

頭は完全に正常ですが、身体はまったく動かない。声には反応しないし、口もきけない。一見、救急隊員が「ドナー候補」だと思っても仕方がない状態になるわけです。当然、クローアンズは「この人は生きている」と判定しました。患者はすんでのところで、ドナーにならずに済んだのです。

ちなみに、ここで終われば「ああ危なかった、良かった良かった」という話ですが、この話にはさらに続きがあります。この患者は一生全身が不随になることは間違いなかったのですが、人工呼吸器をつけている分には、すぐに亡くなるという状態でもなかった。ところが、ある日、クローアンズがふとその後が気になって調べてみると、すでに亡くなっているという。

そしてその死因を脳外科医に尋ねると、「人工呼吸器が止まってしまったんだ」という答え。クローアンズははっきりとは書いていませんが、おそらくは人為的に始末されたのではないかということを暗示しています。

規定は不可能

こんなふうに、一見死んでいるけれども実は生きている人を、周囲が死んでいると思い込むということが、かつてはよくありました。棺桶に遺体を入れて運んでいたらゆれているうちに生き返った、なんて話はお聞きになったことがあるでしょう。

今は脳死を細かく科学的に決めるから、そういうことはなくなったのは確かです。ではそれでその分、死を決めやすくなったかというと、むしろ逆のようにも思えます。もともと曖昧だった境目はより曖昧になってきているのかもしれません。

私はヤブ医者だから、患者に「ご臨終です」とは絶対に言いたくないと思っていました。本来、それを言うのはすごく勇気がいることです。その人の社会的生命を絶つということなのですから。そう考えると、人の生死を決めるというのは、実に大変なことなのです。当然、委員会で決めた基準が万能というわけにはいかないのです。

第四章　死体の人称

死体とは何か

かつて死とは何かについて考えようとした際に、「死体とは何か」ということについて考えました。それは解剖という仕事をするうえでは必然でもありました。

なぜ「死」ではなく「死体」かといえば、少なくともそれは具体的なものであるからです。前述した通り、死の定義は非常に難しい。死体は一種の物体ですから、ある意味で客観的だと思われている。それに対して「死」というのは非常に曖昧で抽象的な概念です。

だから私は、普段は死という言葉を使わないで議論をしてきた。それよりは死体で議論をしたほうがわかりやすい。

そういうわけで、死体について考えはじめて、あることに気がつきました。それは、客観的に「死体」という均一なものが存在しているわけではないということです。死体には三種類あるのです。「ない死体」「死体でない死体」「死体である死体」の三種類です。これと対応する人称があることに思い至った。人称というのは、英語でみなさんも習った「一人称」「二人称」「三人称」というあれです。死体についても、これとまったく同じ区別をつけて考えることが出来る。

一人称の死体

まず「一人称の死体」。英語でいう一人称はすなわちIです。つまり「俺の死体」です。これは「ない死体」です。

もっとも身近なもののようにも思えますが、実はこれは存在しません。言葉としては存在していますが、それを見ることは出来ないのです。

落語に「粗忽《そこつ》長屋」という話があります。あるとき、慌てものの八つぁんが、長屋の熊さんのところに駆け込んできます。

「お前が浅草で行き倒れになっているぞ」と八つぁんは言います。そう言われても熊さんは、ここにいるのですから、最初は「そんな馬鹿な」と相手にしません。しかし、八つぁんに連れて行かれて、行き倒れを見ると、確かに自分と同じ顔だ。熊さんは「なんて可哀想なんだ俺は」と泣き出し、八つぁんといっしょにその死体を運びはじめます。

そして運びながら、「この運ばれている死体は俺だとして、じゃあ運んでいる俺は誰なんだ」とつぶやくのがオチです。「一人称の死体」というのはこういうものであって、落語かSFくらいにしか存在しない。

つまり、「俺の死体」は概念としてしか存在していないということです。「俺の死体」となった瞬間から、モノである筈のものが、無くなってしまう。

屁理屈のように思われるかもしれませんが、実はこれは科学の根本問題にもかかわることなのです。科学の前提には観察の主体が存在しなくてはならない。ところが「俺の死体」に関しては、観察する主体が消えてしまうわけです。

科学的にいえば、自分の死体を観察している人が他にいなくてはいけなくなります。

その時点でそれは「俺の死体」ではなくなります。従って「一人称の死体」ではなくなってしまうことになります。

客観的な「俺の死体」というものは存在しません。それなのに多くの人がそれを考えている。そのことばかり考えている人もいるかもしれません。

これは無いもの、見えないものだからこそ逆に一生懸命考えざるをえないのだと思います。そのへんに転がっていれば、とりあえず見ればいいわけで、そんなに延々と考えることはない。

二人称の死体

では「二人称の死体」とは何か。英語でいえば「二人称」はｙｏｕということです。ここで重要なのは、親しい人の死体は死体に見えないということです。それが「死体でない死体」ということです。

たとえば、道を歩いていたら交通事故があったらしい。倒れている人がいる。どうも事故死者が出たらしい。遠くで見る分には、それはただの死体でしかない。「気の毒に」

と思うか「気持ち悪い」と思うかはともかく、それは他人の死体でしかないのです。が、近くに寄ってみたら自分の身内だとわかった。その途端に、どんなに相手の反応がなかろうと、抱き上げたり声をかけたりするでしょう。

これは人間のみが持つ性質ではありません。サルでもそういう行動に出ることが観察されています。自分の子が死んでも、納得できずに、ずっと背負って歩く。ミイラになってしまうまで、ずっと一緒にいるということがあるそうです。

『今昔物語集』のなかに「参河守大江定基出家語第二」という話があります。平安時代の三河守大江定基が主人公のお話です。

この大江定基は慈悲深く、学問もすぐれていたので、三河守に任じられました。さて彼には本妻がいたのですが、若い美人を愛してしまい、結局離婚することになってしまいました。そして彼は若い愛人を正妻にした。

ところが、この女性が重病を患ってしまう。いろいろな祈禱などをしてみたものの、病気は治らない。どんどん容姿も衰えていき、結局亡くなってしまった。

その死後も、定基は悲しみに心が耐えられず、埋葬もせずに彼女の死体と添い寝をしていた。しかし、数日後、彼女に口づけをしたら「奇異キ臭キ香」がして「疎ム心」が生じてしまった。要は、臭くて嫌になった、ということです。

それでようやく、彼は泣く泣く彼女を葬ることが出来た。その後、定基は出家したのだそうです。

この話も「二人称の死体」が特別な存在であることを示しています。

つまり「二人称の死体」というのは、いわゆる抽象的な「死体」とは別のものなのです。実は私たちがもっともわかる「死」、悲しみなどの感情を伴って見つめる「死」は、この二人称の死です。

毎日のように死体を解剖していた解剖学教室でも、学生の誰もが解剖しづらくなって、一週間でやめてしまうというケースがありました。それは、私も教わっていた解剖の先生の死体です。その先生は、献体運動にも熱心だったので、当然、ご自身の遺体も献体されました。

しかし、これを解剖するのは、いかに死体に慣れている私たちにも抵抗があった。人によってはそれでも平気という人もいないわけではないけれども、大多数にとっては辛いことです。

大体、下手な切り方をしたら、「何だそのやり方は」と怒られそうな気さえしました。それも「二人称の死体」だったからに他なりません。

三人称の死体

では「三人称の死体」とは何か。「三人称」とは英語でいうheやshe、あるいはitのことです。ここで亡くなっているのは第三者、アカの他人のことです。これが「死体である死体」です。

そしてこの「三人称の死体」のみが、私たちにとって簡単に死体になります。死体として認識することが出来るといってもよい。交番に貼ってある「昨日の交通事故死者一名」というのは、要するにアカの他人が一名亡くなりましたということを言っているわけです。

大災害や戦争のあとには、そこらじゅうが死体だらけになります。それでもそのへんを歩いている人間は、意外と平気だったりします。これはその周囲の死体が「三人称の死体」だからにほかなりません。

無関心ならまだしも、下手をすると「三人称の死体」というのは半分娯楽のようになっている。楽しんでいる人もいるように思えます。

モノではない

誤解のないように申し上げれば、世間では解剖学をやっているというと実態以上に不気味なものに考える傾向があります。脳死臨調が話題の頃に、医者の解剖、臓器移植とアウシュビッツの人体実験を何かつながりがあるかのように書いた人がいました。これには非常に頭に来た。

おそらく、本当に解剖なり死体なりをきちんと見たことが無い人に限って、頭の中でイメージが膨らんで不気味なものを作り出してしまうのではないでしょうか。ホラー小説や映画が怖いのもイマジネーションだからであって、死体そのものはそんなに不気味なものではありません。

私自身は、「死体」イコール「モノ」であるという捉え方を正しいとは考えていません。

解剖をしていたり、医者をやっていたりすると、人間をモノと思うようになるというふうに思われがちですが、それはまったくの誤解です。だからこそ私も、学生も、生前を知っている先生の解剖には躊躇したのです。

そもそも私が死体の人称について思い至ったのも、死体をどう捉えるべきかを考えた末のことです。死体はモノだ、人間はモノだ、と単純に思うことが出来ていたら、そんなことを考える必要はありません。実際に扱うにあたって、死体とは何だろうと考えたから、こういうことを思いついたのです。

一般には死体をホトケといいますが、ホトケを扱えといわれても困るわけです。当然、死体をどう扱うかについて考えるには、それが何であるかを考えざるをえません。結局、私は死体も人間であると考えるようにしました。生きている人を扱うのと同じように、死体も扱う。そう考えておけば何の不都合もありません。

モノと考えないのですから、「二人称の死体」に対して、解剖学教室の学生が抵抗を感じたのはむしろ当然です。サルだって、子どもの死については受け入れるのに一苦労していたのですから。

ことは人間の死だけではありません。動物実験をしている科学者にさえ、どこかに心理的な抵抗があるのです。私の知人で、ニワトリの胎児を使って実験をしていた人がいました。その彼が、いざ自分の子供が出来たというときに、「大丈夫かな」と心配をしていた。「あんなにニワトリの胎児を使って実験したのに、自分の子はきちんと生まれるのだろうか」ということです。それは科学的ではないかもしれません。しかし、そういう気持ちを持つのは当たり前のことですし、人間はそれでいいのだと思います。

医者でも誰でも、そういう気持ちがあるほうが自然ですし、いいことなのではないでしょうか。実験で使った動物の慰霊祭をやるというのもそういう気持ちからでしょう。

解剖が出来なくなった頃

三十代の後半の一時期、私は動物や虫を殺せなくなったことがありました。急に殺生が出来なくなった。解剖に使うのは死体だから、殺す必要はない。だから、それには支障がないのですが、実験に使うネズミも飼っていると情が移ってきて、殺せなくなった。

それでどうしたかというと、わざわざ野生のネズミを捕まえてきて実験に使ったりもしました。

殺すという行為は同じなんですが、捕まえてくるという要素が入ると、狩猟のような感じがして、自分の心を合理化しやすかったのかもしれません。そんな気分になったのはほんの短い期間で、しばらくすると元に戻りましたが。

元に戻ったきっかけは特に憶えていないのですが、おそらく大きな原因は環境破壊だったと思います。昭和三十年代~四十年代の環境破壊は酷《ひど》かった。

それを目の当たりにしているうちに、「こんなに滅茶苦茶にしやがって」という怒りが湧いてきた。虫取りが趣味なので、「こんなに虫が減ってしまった」ということからよくわかるのです。最初はそれで可哀想だからもう殺したくない、という気持ちだったのが、次第に「こんなに減るんならば俺が捕まえて標本にしたほうがまだましだ」と思うようになったのでした。

第五章　死体は仲間はずれ

清めの塩の意味

死体についての感覚には万国共通の部分があるし、サルですら共通するところがあるかもしれない、と申し上げました。

しかし、完全に万国共通という面ばかりではなく、死体についての考え方、捉え方には当然ながら社会的な環境が影響します。たとえ死んでも人間は人間のはずですが、日本では、「死体は人間じゃない」という考え方が文化になっています。「死んだら最後、人ではない」というのが世間のルールになっています。

そんなことはない、とおっしゃるのならば、葬儀のあとの「清めの塩」を思い出していただきたい。

大抵の人は、受付でもらった塩を自宅に入るまえに身体にふりかけるでしょう。ではなぜ、身体を清めなくてはいけないのか。それは死んだら最後、相手に対して手のひらを返している証拠ではないでしょうか。相手を「穢《けが》れ」として見ているからこそ、清めなくてはいけないのです。

そのへんを現代人が無理やり理屈づけるにあたっては、衛生観念を持ち出してくるしかありません。しかし、実際のところ葬儀場が不潔だというわけではありませんし、たとえ死体や葬儀場が衛生上問題があったとしても、自分に塩をかけたら殺菌できるなんてことはありえません。

要は、死体と「穢れ」という概念とを結びつけているわけです。

「穢れ」という概念は、本来は科学的な根拠がないことです。ということは、少なくとも現代においてタブーにするようなことではない。にもかかわらず、その慣習が残っているのは、私たちにとって何らかの意味があるからに他なりません。では、その意味とは何か。

それは、「死んだ奴は我々の仲間ではない」というルールを暗に示しているのです。

なぜ戒名は必要か

これは戒名でもまったく同じことが言えます。死んだ途端に名前が変わる。これも「死んだ奴は我々の仲間ではない」というルールがあるからです。

世間というものを一つの円（サークル）で表現するとすれば、死んだことによってそこから外されてしまう。日本人の「ヒト」の定義は、この円、すなわち世間に所属している人のことです。そして死んだ途端に、「ヒト」はこの円から出されてしまう。

戒名をつけてもらうというのは、ありがたいことのようですが、要は、もうこれまでの名前では呼びません、ということです。戒名をつけられない人でも、同じように改名を余儀なくされます。○○居士とか何とか呼ばれる代わりに「ホトケ」と呼ばれたり「土左衛門」と呼ばれたりするようになるだけのことです。

そこでつまり死者は差別されてしまっているのです。はっきりしているのは世間という円から出されてしまうということです。

だからこそ、そういう存在の死体を扱う仕事というのは、ある種、特別な仕事のように見られてきたわけです。江戸時代に「非人」と呼ばれて差別を受けていた人たちがいました。その言葉は「人に非ず」ということを表していますが、これは「世間の人ではない」という意味です。江戸時代で言えば士農工商までが世間の人であって、それ以外の人ということになる。士農工商は身分制度という意味のほかに、それが世間というものを構成している要素だという意味があったのです。

(※ちなみに、本書ではところどころでこうした被差別民について触れた記述があり、そのなかでは当時の呼称を用いている場合があります。これはあくまでも当時そのように呼ばれていたことに対応した表現に過ぎず、それらの差別を肯定、助長する意図は毛頭無いのは言うまでもありません。)

人非人とは何者か

「人非人」という表現があります。「人にして人に非ず」というのは、論理的にはおかしな話です。人であることは認めつつも人ではないと言っているのですから、矛盾もいいところです。英語には訳せません。

これを論理的に解釈するならば、「人非人」の上の「人」と下の「人」は違うとしなければいけないのです。同じ文字でも意味が違う。

上の「人」は自然人を示していて、下の「人」は世間の人を示しているのです。「人非人」は、自然界の人間（現代的にいえば生物学的なヒト）ではあるが、世間の人ではないという意味になります。

「人非人」という言葉は、江戸時代の人間についての定義を非常によく表しています。実は「人間」という単語は、日本に入って初めて「ヒト」を指すようになった。中国語での「人間」は、「じんかん」ということで、「世間」を表します。「人間至るところ青山あり」というときは、こちらの意味に近い。これは現代の中国でもそうです。

日本でも漱石や鷗外の時代にはその区別がありました。だから、「人間に交わる」という言葉を使っていました。世間に交わる、ということです。「じんかん」と読むと、当時は世間のことだったのです。今でも「人間」という項目で辞書を引くと、「人間のすむところ、世間」といった意味が出ていますが、実際にそういう用法でこの言葉を使っている人は滅多にいません。

考えてみれば、「人」という漢字があれば、それで「ヒト」を指すのには十分だったはずです。ネコは「猫」ですし、イヌは「犬」です。それにわざわざ「間」という文字をなぜくっつけたのか。

それは日本では世間の人であることが、ヒトであるというふうに考えたからでしょう。こういう考え方が制度化したのはおそらく江戸時代からだったと思います。というのも、それ以前にも差別の対象になっている人はいましたが、「非人」が制度として成立したのは江戸時代です。それ以前にも様々な呼称で呼ばれていた被差別民がいたと仰るかもしれませんが、それは別の存在でした。

たとえば中世以前から特定の仕事、皮革を扱うような仕事を請け負い、差別されていた人たちがいました。しかし彼らは差別されていたと同時に、職能集団としての権利と優れた技術も持っていたのです。牛や馬の処理に関しては彼らがそれを行う権利を持っていた。だから当時の百姓は自分の馬が死んでも、自前で勝手に処分してはいけなかったのです。

戦国大名は、彼らの権利を保障するお触れを幾つも出しています。それは保障せざるを得なかったのです。何故なら、武具は革を使います。その革を扱う技術を持った人たちというのは、戦国大名にとって実は貴重で重要な存在だったのです。

これが江戸に入ると、身分差別としての面が強調されてきた。平和になってからは、武具もかつてほど必要ではなくなってきたという事情もあったのでしょう。

では、江戸時代に「非人」と呼ばれた人たちはどういう存在だったか。彼らは、そういう職能集団とはまったく違います。都会に流れ着いてきた無宿者など、共同体からはじかれた人たちです。

そのなかにはハンセン病のような病を持った患者さんたちもかなりいました。現代では、もちろんハンセン病については簡単には伝染もしないということが判明しています。その病気によって差別する云々といったことは許されないわけですが、当時はそんな知識はなかった。

そのため、「あれがいると親戚にまで迷惑がかかる」といったことで故郷を追われてしまったりしていた。現代でも、筋の通らない差別をしている人がいるのですから、江戸時代のそれは相当なものだったのでしょう。

それで患者さん自身が故郷の村を出てしまう。そして行くところがないから乞食をして歩いて、結局大都会に集中してしまうというケースが多かった。こうした病気の人に限らず、さまざまな事情で無宿となった人が都会に集中した。それに対応して幕府は「非人」というカテゴリーを作ったのです。

本来は勝手に村を離れてはいけないのですが、実際に離れてしまった者がいる以上は何らかの範疇に収めて規定しなくてはいけない。このあたりは江戸時代の興味深い特徴で、建前とは別に本音というか、実情にあわせて認めざるをえないところは認めてしまうという性格があったのです。

この世はメンバーズクラブ

ともかく、こういうふうにして江戸時代に出来た世間という円があります。それは時代や国によって変わるものですが、現在の日本の世間の原型は、ここにあるのです。この円は、今ふうに言えば、一種のメンバーズクラブのようなものだと考えるとわかりやすいかもしれません。

死ぬということは、そのメンバーではなくなるということなのです。強制的に脱会させられるわけです。「泣く泣くも良いほうをとる形見分け」という状態も、だからこそ起きるのです。

死んでしまったら、たとえ生前、「この娘にはこの服を、この息子にはこの時計を」と思っていても無駄。もはや死者の遺志なんか関係ない。生き残った人間の力関係で形見の所有権は変わっていく。遺書というのは日本では基本的には外から入ってきた習慣に過ぎません。

武士の切腹というのも、メンバーズクラブからの脱会方法の一つです。かなり強引で特殊な方法といってもよいでしょう。メンバーから抜けるにあたっては、腹を切りなさい、というのですから。

武士の一存で決めることは「腹を切って死ぬ」という行為そのものではなくて、それによってメンバーズクラブから抜けるということなのです。逆にいえば、そこまでしないと脱会は出来ない。死んだら抜けられるということは、裏を返せば、死ななくては抜けられないということです。

こういうルールがあるということがわかると、日本の社会というものは非常によく見えてきます。ともかく、徹底的にこのルールを教育してくる。前述したとおり、戒名がそのいい例です。誰もが「どうして坊さんにこんなに高い金を払わなくちゃいけないんだ」とブツブツ言いながらも、お布施を払う。こんなに科学技術が進んだと思われている社会において戒名という前時代的な制度が続いているのには、理由があるのです。

その根底には死んだら名前を変えなくてはいけないという暗黙の了解、決まりがあるからです。死んだらメンバーではない、脱会してもらう、会員証を返せ、名前を変えろ、ということです。

脱会の方法

これは人類共通の考え方でも何でもありません。西洋のお墓を見ればすぐにわかります。そこには戒名なんて書いてありません。「ジョン・某、○○年〜○○年」と名前と生年、没年が書いてあるだけです。

ところが日本でそういう墓にしてくれと言ったらどうなるか。たとえ遺書でそう指示しても、名前の上に「俗名」とつけられます。わざわざ「俗名」と書くということは、「本当の名前は別にあるよ」と言っているということです。故人の希望で便宜上こういう名前を書いてあるが、本当の名前は別にあります、と。

切腹というのは、こういうメンバーズクラブの会員資格を武士の一存で消滅させるということです。そうまでして脱会する恩典は何かといえば、それまでのクラブ内での義理をチャラにしてあげましょうということです。

「あいつが腹を切ってくれれば丸く収まるのに」というのは、それによって彼に絡んださまざまな義理や負債をチャラに出来るということです。そういう思惑が周囲にあって、それで圧力をギュウギュウかけて誰かに腹を切らせるのが「詰め腹」というやつです。これは武士の一存ではないから恥になる。

こんなふうに日本の世間を考えると、いろいろなことがわかる。たとえば、「間引き」という習慣がなぜあったのか。

「間引き」は入会審査

退会がそれだけ厳しいメンバーズクラブならば、入会だって相当うるさいのは当然です。生まれてきさえすれば即入会というわけにはいきません。だから、日本では「間引き」の伝統があるのです。すでにメンバーになっている側の都合もしくは判断で入会お断りとなる。すなわち間引きをしてしまう。

実は日本では胎児が人間として認められたことはないのです。生まれてくるまでは親の一部だと考えられていて、生まれてくるかどうかは親の一存に任されてしまっている。

ちなみに日本で人工妊娠中絶が普及したのは、団塊の世代が子どもだった時代以降です。そのあとから人口増加率が減ったのもそれが理由です。

これだけ中絶が普及したにもかかわらず、倫理問題として取り上げられたことは極めて少ない。それはまさに生まれてくるまでは親の一部であり、独立した人間ではないということが世間の認識だからです。胎児が人間ではなく母親の一部だというのは、臓器のようなものだということでしょう。母親が経済の都合で腎臓を売るということと、仕方が無いから子どもを堕《おろ》すというのは似た感覚なのです。

そう考えると、母子心中が日本では外国よりも多い理由もわかってきます。母親が自殺するときに子供まで道連れにするというのは、外国では非常に特殊な例です。

それが日本で多く見られるというのは、つまり子供が社会に出てきてからも、母親のほうではどこかで自分の一部だと見なしているからでしょう。だからこそ、道連れにしてもよいという発想になってしまうのです。

これをさらに酷い形で延長していったのが、被害者が子供というタイプの保険金殺人事件です。今風の言葉でいえば「子どもの私物化」ということになるのですが、日本にはそれを生み出す素地があるということなのです。

日本では比較的近年まで、警視庁は嬰児《えいじ》殺しを他の殺人と区別していたといいます。それも生まれたばかりの子は世間の人数とは別の形でカウントしていたことのあらわれでしょう。

ベトちゃん、ドクちゃんが日本にいない理由

重症サリドマイド児の死亡率が、日本は七五パーセント、欧米は二五パーセントだと

います。この差は何なのか。一方で、幼児の死亡率の低さでは日本は最高になっていて、国民の平均寿命は世界一のレベルです。

この重症サリドマイド児の死亡率の差を説明すれば、要するに、どこかで「間引き」のような行為が今でも行われているということです。「間引き」といって語弊があるのならば、積極的な救命措置をおこなっていないケースがあると言ってもよい。

ベトナムのベトちゃん、ドクちゃんのような結合双生児というのを日本でご覧になったことがあるでしょうか。先日も中東でそういう女性が分離手術を受けたが失敗して亡くなったというニュースをやっていました。

このようにニュースではよく目にするのですが、不思議と日本人の例というのは目にしません。おそらくご存じないはずです。東大の研究室に行けば標本はありますが、日常生活で目にしないだけではなく、ニュースでも見ない。しかし、これは別に人種によって極端に発生率が異なるというものではないはずで、日本に少ないとすれば、ここでも間引きが行われている可能性は否定できません。

これも、メンバーズクラブの入り口の時点で選別をしてしまっているということです。

選別の基準の一つが、このような身体の状態だと考えられます。

またもうすこし厳しい基準では、「日本人に見えないといけない」というものもあります。だから黒人や白人というのは非常に日本人になりづらい。外見が違いすぎるからです。

一方で、中国人や韓国人はメンバーとして認められやすい。日本人と見られやすい。「そんなの当たり前だ」と思われるかもしれないが、実はその感覚はかなり日本人特有のものです。考えてみればわかるはずです。アメリカで白人じゃないとアメリカ人に見られないということはありません。外国人が珍しい国ならばともかく、日本のような先進国と称する存在になってそれでは通用しません。

しかし、とりあえず日本語が喋れる中国人、韓国人に対しては、黒人や白人に対するよりも差別はない。ここでは制度的な差別は別にして話を進めています。あくまでも日本人が他人を見たときの捉え方について述べているのですから、「我々は大変な思いをしているのだ」云々と言われても困ります。

少なくとも、黒人が歩いていて「あれは日本人だ」と思う人はあまりいないでしょう。

その「常識」はどこから来たかといえば、あきらかに「我々の仲間はこういう顔だ」というルールが根底にあるということなのです。

この日本的な感覚について、来日した欧米の人が「日本人は我々を差別している」と言いますが、実は人種差別というものとはちょっと違うのです。むしろ仲間はずれの感覚に近い。肌が黒いから差別するのではなく、日本人じゃないから仲間はずれにしているだけなのです。メンバーでなければ白かろうが黒かろうが同じこと。そのへんは白人には特に理解できないところかもしれません。

こういうルールというのは、共同体によって違います。日本だけが特殊なルールを持っていて、他の先進国が明文化された近代的なルールにのっとっているということではまったくありません。いずれの共同体もそういうルールを持っています。そして、そのルールというのは明確に記録されていないものなのです。

第六章　脳死と村八分

脳死という脱会

脳死の是非については、臓器移植法制定の前後に日本では盛んに取り沙汰されました。医者、科学者から法律関係者、ジャーナリストまでさまざまな人がそれぞれの意見を述べていました。

実はこの脳死の是非という問題も、メンバーズクラブのルールとかかわってくるのです。簡単にいえば、死の基準を決めるということは、メンバーズクラブ脱会の基準を決めるということです。その基準にのっとって、メンバーから人間としての権利を剝奪することになる。

ところが、メンバーから外す、すなわち村八分にするには村の総意が必要になります。切腹して死んだケースや、完全に死んで腐ったケースならば、それで脱会は完了したことにしましょうということで、すでに総意が得られていました。

しかし、脳死に関してはそうではありません。だから脳死臨調（臨時脳死及び臓器移植調査会）なるものを作って、総意を得るようにしたのです。

しかし、その臨調に参加した人には、集会の性質が村の総意を決めるためのものだという自覚がほとんどなかった。だから議論が混乱したのです。脳死臨調が、移植を可とする多数意見と、否とする少数意見の「両論併記」という答申をしてから、実際に臓器移植法が成立するまでにはさらに時間がかかりました。

根本の問題は、移植すべきだという議論の中心が医者だったということです。医者は特定の機能集団です。別に共同体の意思をすべて反映するわけではない。そういう特定の集団が村八分を決めていいのだろうか、ということを村人は当然思います。

だから、脳死臨調のメンバーでもあった哲学者の梅原猛氏は、そんなことを決めたら、日本古来の良風美俗が壊れるというような主旨の発言をされていました。それは他でもない共同体の暗黙のルールを説かれていたのだと思います。

村八分は全員一致で

医者という機能集団が進める議論というのは、その集団のなかではきちんと完結できる論理が組み立てられます。

しかし、それでは他の村人たちには何かモヤモヤした気持ちが残ります。このモヤモヤした感じの底にあるのが共同体のルールであり、暗黙の了解です。「非成文憲法」というふうに呼んでもよいでしょう。

このルールのなかでも、前章で取り上げた「死んだ奴は我々の仲間ではない」というのは実に重要で、共同体にとっては大問題です。村八分になる存在というのを決めるわけですから。村人全員が決めなくてはいけないルールを、表に出して議論して決めるというのはこれまた大変です。それまでは議論して出来たものではなく、明らかに慣習法、「非成文憲法」だったのですから。

こんなふうに脳死については、日本では共同体のルールにかかわるから、かなり揉めた。その一方で妊娠中絶については揉めなかった。日本だけを見ているとそれが普通のことに思えるでしょうが、諸外国では必ずしもそうではない。それはルールが違うからです。

米国では脳死については大して揉めなかったけれども、人工妊娠中絶に関してはいまだに揉めています。これが常に大統領選挙の争点の一つになっています。中絶を請け負っている病院がテロにあうようなことまで起きました。中絶反対派が、容認派の産婦人科の病院に爆弾をしかけた、なんて事件までありました。

こちらの村から見ると、なぜそんなに揉めているのかはピンと来ないでしょう。同様に向こうから見ればなぜ日本がそんなに脳死を巡って百家争鳴したのかはわからない。それは共同体のルールの問題だからです。

日本でいえば、脳死は共同体のルールの根本にかかわっているから揉めました。後述する安楽死も同じように揉めています。

そもそも、そういう問題を公にして、明文化していくことがよいことなのかどうなのかが非常に難しい問題です。おそらく昔は奇形児が生まれたらそれを産婆さんか誰かがそっと座布団の下に敷いて殺してしまう、といったことがあった。それも暗黙のルールに含まれていた。近代の目で正しいかどうかではなく、村人はそれでよしとしていたわけです。

イラン人の火葬

人工妊娠中絶のほかにも、日本では何とも思われていないが、外国ではまずいということや、その逆のことはたくさんあります。死に関することでいえば、火葬もそうです。今時、日本で火葬を断固拒否するという人はあまりいません。しかし、イスラム教徒たちは火葬に抵抗があるそうです。以前、日本でイラン人を火葬して問題になったことがありました。

山梨県で身元不明の外国人の自殺体が発見された。女性に振られて首を切って自殺をしたそうです。亡くなった時点では、町役場はその人の名前も国籍もわからなかったので、火葬した。日本人の身元不明者への扱いとまったく同じです。

ところが火葬した後で、その人がイラン人だとわかりました。それで大使館に連絡すると、「遺体はどこにありますか」という。火葬にしたと答えたところ、大変な抗議をしてきた。

実はイランではイスラム教の教えにのっとって、火葬を禁止していたのです。ところがそんなことを普通の日本人は気にしていない。だから日本人と同じように火葬してしまったわけです。

日本人は死んだらすぐに世間から外れると思っているから火葬にも抵抗がない。前述のとおり、そもそも土葬から火葬に転換することもあっという間というかスムーズに実現してしまった。どちらでもそんなに変わらないと思っている。

しかし、おそらくイランでは死んだことイコール、メンバーズクラブからの脱会を日本のようには意味していないのではないか。だからこそ、死者が火葬されたことに対して抗議をしてきた。

靖国問題の根本

中国には「墓を暴いて死者に鞭打《むちう》つ」という考え方があります。これも、日本とは別のルールがあって、中国人は死んだあとも「そいつはそいつだ」と思っているからでしょう。死んだからといって別人になるわけではないのだ、と。

靖国問題というものの根本もそこにあるのです。日本には死者は別物だという暗黙の了解がある。だから乃木神社、東郷神社のように、軍人も死んだら神様としておまつりすることが出来る。

ところが中国のほうは、たとえ死んでいようが戦犯が祀られたということは、政治的にもまだ意味なり影響力があるのだと思ってしまう。

「死せる孔明、生ける仲達を走らす」というのは三国志のなかの有名なエピソードです。名参謀、諸葛孔明《しよかつこうめい》は、死の直前に「自分が死んでもそれを伏せて、自分の人形を軍の中心に置いておけ」という作戦を伝授した。それを実行したところ、「孔明は死んだ」と思って攻めた敵方、魏の名将・司馬仲達《しばちゆうたつ》は慌てて逃げてしまったという話です。死者も影響力を与えられる、この世のメンバーだという世界観が根底にあるのではないか。

しかし、日本人はそんなことは夢にも思っていません。靖国問題というのは政治的な駆け引きのように語られています。現在、実際にそういう面が強いのも確かですが、共同体のルールの問題が根底にあるのではないでしょうか。

私たちは、戦犯といわれている人でも何でも死んだらホトケさまくらいにしか思っていません。しかし向こうは下手をすると退役軍人くらいに思っているのではないか。いざとなったら武器を持って飛び出してくるのでは、というくらいに。

死刑という村八分

死刑というのも、共同体によってルールが異なる大きな問題です。死刑も一種の人為的村八分だと言っていいでしょう。こういう方法で共同体から排除することができるということについては、日本人は昔からはっきり容認してきました。

「村のみんなの迷惑」という奴は、当然追い出さなくてはいけない。その最終的な追い出し方が死刑です。

死刑についての反対論というのは近年日本でも出ているわけですが、それは冤罪《えんざい》の場合にどうするのか、取り返しがつかないではないか、ということが大きな反対理由の一つでしょう。国によっては宗教が暗黙のルールと強く結びついていて、それが死刑をしない大きな理由だったりもしますが、日本ではそうではないように思えます。あくまでもそこにかかわるのは共同体のルールです。だからこそ、死刑についての議論を始めても、脳死同様、どこかモヤモヤしたものが残る。それは共同体のルールにかかわる問題だという視点が抜けているからです。

共同体のルールにかかわることというのは、非成文憲法ですから、それを意識しないことで成り立っています。それをあえて表に出そうとすると厄介が生じます。

臓器移植法の不思議

脳死についての議論が済んだあと、脳死臨調の委員長と話をしたことがあります。委員長に任命されたときに、その方は論理的にこう考えた。委員会で問題になるのは「脳死は死か、死でないか」ということと「臓器移植は可か、不可か」ということだろうと。

この二つのテーマを組み合わせた結論は、「脳死は死で、臓器移植は可である」「脳死は死だが、臓器移植は不可である」「脳死は死ではないから、臓器移植は不可である」「脳死は死ではないが、臓器移植は可である」の四通りです。このなかで論理的にもっともありえないのは、一番最後の「脳死は死ではないが、臓器移植は可である」だと彼は思っていた。

ところが、それから数年たった法案を見て彼はびっくりしました。色々と難しく書いてはいますが、そこに書いてあったのは、要は「脳死は死ではないが、臓器移植は可である」ということだったのです。もちろんそんな直接的な表現はしていませんけれども、そういうふうに読めるように書いてあった。委員長が全然考えていない結論になった。しかし、ここにこそ日本の社会の特徴がよく出ていたのです。

「脳死は死だ」という断定を避けないと、村八分を規定するルールにひっかかってしまう。共同体のルールに抵触します。全員一致じゃないのに、そんなことを決めてはならない。しかし臓器移植は進めていきたい。となると、結局、この第四の答えにならざるをえない。

こんな非論理的なルールは多分よその国でやろうとしたら大喧嘩になります。しかし、日本ではこれで通用した。死んでいるかどうかはっきりとはさせないけれども、そこから臓器を取ることは認める、としたのだから随分乱暴です。

脳死が死か死でないかということを決めることと、臓器移植とは関係がないというふうにした。それはどこか、江戸時代にタテマエとは別に実態に則して「非人」という存在を作ったやり方にも通じるような気がします。

「人は人」である

このように、共同体のルールで済ませていたことを表に出して明文化すると、論理的に破綻してしまったり、厄介なことが起きたりということはいろいろあります。

脳死臨調の少数意見のなかには「人は死んだらモノである」という主張もありました。これは移植賛成派の意見だと思われるかもしれません。「モノなんだからどうしようが自由だろう」と続きそうなものです。

しかし実際にはこれは反対派の意見なのです。その理由は「死者には人権が無いから」ということでした。主張したのは法律家でした。法律の世界では人権が無いのがモノで、あるのが人間だということになっている。一般の感覚からは非常に遠いとしか思えない理屈ですが、ともかくその方はそういう立場でした。

これもずいぶんおかしな話です。死体がモノだというのであれば、生きている人間もモノです。対象が生きているか死んでいるかと、それがモノかモノじゃないかは関係ありません。生きているからモノじゃない、というのならば体重なんか計るんじゃない、と言いたくなります。

生きていようが死んでいようが、モノといえばモノだし、人間だといえば人間なのです。論理的に整合性があるのは、生きていようが死んでいようが人は人だ、という考え方でしょう。これがおそらく普遍的な考えです。

だから私自身は、前述したとおり、その人とわかる限りは、その人だと考えるようにしているのです。死体も人だと思うようにしている。「その人とわかる限り」というのには、技術的な前提が色々ついてきます。極端に言えばＤＮＡを採ってきて、それを調べてみたらその人だとわかったということもあるでしょう。それはその人です。たとえ骨だけになっていようが、あるいは血痕の一部であろうが、その人の一部分と言うほかない。私はそういうものは、その人と認めてもいいと思っています。

ただし、そのことと、解剖をしてはいけないとか、臓器移植はいけないとかそういうことはまったく別です。生きている人間だって、手術で足を取ってしまうこともあれば、移植をすることもあるのですから。要は扱うときに、こちらが人と考えるかモノと考えるかということです。

大学も村

このように共同体のルールにかかわる議論というのは厄介です。「それを言っちゃあお終いよ」となりかねない。そしてこういうルールというのは生死の問題以外にも、社会のいたるところにあります。

たとえば、よく日本は「学歴社会」だと言われます。しかし私は「学歴社会」という言葉を使いません。なぜなら、私について回るのは学歴ではなく、ある小さな共同体のメンバーだということだからです。

東京大学というのは一つの共同体だと見なされています。だから、何歳になってもその構成員だったことを書かれるのです。もちろん、勝手に抜けることは出来ません。

もう六十歳を過ぎている私でも、経歴には「昭和三十七年東京大学医学部卒業」と書かれます。出版社が作る本の略歴紹介にも大抵そう書いています。いい加減もういいじゃないかと思っても、完全に卒業をさせてくれない。

もちろん西洋人も経歴に最終学歴を書きます。しかし、それは、この人はある資格を持った人間であるということを示しているのです。つまり、医学部を出て医師免許を取得した人間である、ということです。しかし、医学部はさておくとしても、日本の場合は、あまり資格を取ったりもしていない。みんな大学時代には、麻雀やったり競馬やったりという調子でしょう。

そのへんがハーバード・ロースクールと日本の大学との一番違うところです。ハーバード・ロースクールならば、入学者の数分の一しか卒業できない。その代わり卒業生はそのまま検事や弁護士として使える存在になる。これが機能的な教育ということです。職業のための一種の予備校になっている。

日本の大学はそうではない。では何かといえば、これも一種の共同体なのです。だから入るルールだけはうるさい。公平、客観、中立でなくてはいけない。

私立大学だから金持ちを優先的に入れるなんて言うと皆怒り出す。それは暗黙のうちに皆が大学という共同体に加入するルールは、平等でなければならないと思っているからです。「私立だから独自のルール、たとえば金で入れて当然だろう」という論理は許してもらえません。

ケネディは裏口入学か

大学の合否の基準が成績だというのはあたりまえじゃないか、と仰るかもしれません。もちろん日本でも、推薦入試や一芸入試など別の基準もありますが、それでもお金で……というと抵抗が強いでしょう。しかし、これも別に万国共通ではないのです。

現にアメリカではそれが通用しています。ジョン・F・ケネディだって高校で勉強が出来たほうではないのに、ハーバード大学の法学部に入っている。それは父親の寄付金によるところが大きいのでしょう。私が知っているくらいだから、アメリカ人はみんな知っているようなことです。それでも誰も怒りません。日本ならば裏口入学呼ばわりされかねない話です。

それはアメリカでは、世間も大学も、かならずしも日本型の共同体ではないからです。

別に、入る基準が平等だったり公平だったりする必要はない。そんな暗黙のルールは設定されていない。その代わり、中で勉強をして機能集団の一員となる努力をしないと卒業はさせてもらえないし、資格は得られない。

しかし、日本では、大学は共同体のなかの小さな共同体という面が非常に強い。基本的に選別基準は大きな共同体のメンバーにとっては公平なものでなくてはならない。だから、私立でもどこでもお金で入れたりできないのです。

そして共同体だからこそ、一度メンバーになったら抜けられない。本当の学歴というのは、「あいつは東京大学法学部を出たから当然、こういうことは出来なくてはいけない」という考え方が一般化したときに意味を持つはずです。が、今のところ日本ではそういうことにはなっていない。だから、いつまでたっても私は「昭和三十七年東京大学医学部卒」という形で東京大学のメンバーなのです。

共同体のルールというのはことほど左様にあらゆるところに張り巡らされているのです。

第七章　テロ・戦争・大学紛争

戦争と原理主義

イラク戦争や、このところのテロのニュースを見ていると、日本の大学紛争の頃を思い出します。私は、戦争やテロが嫌いだという以前の問題として、その背後にある原理主義というものが嫌いです。

戦争やテロが起きるのは、原理主義によるところが大きいということはこれまでにも何度も述べてきました。原理主義、あるいは一元論というものを『バカの壁』でも延々と批判しました。

一元論に陥ったときに、人は絶対の真実があると思い込んでしまいます。絶対の真実を信じる人は絶対の正義を振りかざします。そういう人には「あんたが絶対正しいと思っていても、寝ている間のあんたはどう考えているんだ」と言いたくなります。人間、人生の三分の一は寝ているわけです。絶対正しい、と思っているのは起きている間の意識に過ぎません。それ以外の寝ている時間もあなたの人生ではないのか、ということです。

人間は「自分が絶対だと思っていても、それとは別の考え方もあるだろう」というくらいの留保を持ったほうがよい。そうすれば「絶対の正義」を振りかざしてぶつかるということもなくなるのではないかということです。

正義の押し付けがましさ

大学紛争も、かつての日本の戦争も、いずれも原理主義が大きくかかわっていました。テロのニュースからは大学紛争の頃が思い出されると述べましたが、大学紛争の頃には太平洋戦争のことを思い出したものです。

一九六〇年代の大学紛争時、運動をしている側の学生が研究室に押しかけてきて「この非常時にのうのうと研究なんかしてやがって」と言ってきました。こいつらは戦争を知らない世代なのに、なぜこんな物言いを知っているのかと思って驚いたものです。それは典型的な戦時中の物言いと同じだったのです。「お国の非常時に一体なにをやっとる」というやつです。

私は終戦の時にはまだ小学生でしたが、その雰囲気をよく憶えています。田舎から親戚のお姉さんがスカート姿で口紅までして鎌倉に来た。そのとき、「そんな派手な格好でよく平気だったね」などとみんなで言い合っていたものです。

子供心にも、そういう格好で出歩くとどういうことを言われるか、その空気がわかっていたのです。理屈では、そんなことに目くじらをたてるのがおかしいということもわかっているのですが、その一方でそういう空気も感じていた。

私自身は、そういう空気というものが好きではありませんでした。子供がそういうふうに感じることが出来たということは、逆に言えば、昨今言われるほどの暗黒時代だったわけではなかったと言えるかもしれません。

それでも窮屈な空気を押し付ける人はたくさんいました。そして、そういう窮屈さとか厳格さに、ある種の快感を感じている人がたくさんいたのです。

隣に住んでいたおじさんがその典型で、外に出て八幡様の前を通るたびに最敬礼をして拍手《かしわで》を打っていました。今の若い人は、八幡様が戦いの神様だということすらご存じないでしょう。

こういう人の押し付けがましさというのが、共同体の持つ一つの体質なのです。平等性を求める。「俺がこんなにみんなのために必死になっている時に、お前らなんだ」という押し付けがましさです。こんな人に「お前らが必死になるからいけねえんだ」なんて言うとぶっ殺されそうな空気があったのです。

「みんなのため」には、本当はいろんなことをしなければならないのです。みんなが同じことをするということとは違います。それが誤解されてしまっている。いろんな選択肢が消されて一つのことを押し付けてくる。

大学紛争の頃に、ある団体は東大のグラウンドで何と竹やりで訓練をしていた。彼らの中に戦時中に竹やり訓練をした者はいません。それなのにその様はまさに戦時中そのもので、「ああ日本は変わらないな」と思ったものです。

戦争で人減らし

当時、大学紛争は世界の先進国で同時に起こっていました。これについてはメディアの発達などが要因であるといわれていますが、それとは別に都市化現象が関係していると私は思っています。

第二次大戦後、人類史上ではじめて若い人が働かなくて済むようになりました。どこの国も人口が増えて若い人が余った。彼らの行き場の無いエネルギーが溜まり、その発散場所として学生運動という場が作られたのではないかと思います。

そう考えてみると、いくつかの戦争についても納得がいきます。第一次大戦には、ヨーロッパが二十世紀になって最初に都市化したときに発生した余剰人口を片付けるという意味があったのではないでしょうか。

年寄りが社会の体制をガッチリと抑えてしまって、そこに若い人が増えても仕事がない。そういう時に一番簡単な方法は、戦争を起こして一定の人数を殺してしまうことなのです。あれだけの犠牲者を出しても、ヨーロッパがある意味で安泰だったのは、言ってみれば、人口を減らした「効果」があったからなのではないか。

それでもまだ片付けきれないから、またやった。それが第二次大戦だったのではないでしょうか。

大学紛争は就職活動

そして、その次にエネルギーの発散として起こったのが、大学紛争だったのです。だからこそその周囲のムードは戦争そっくりだったように思えるのです。

もちろん、戦争にせよ、大学紛争にせよ、歴史的に起きた理由は説明されているでしょうし、それを否定するわけではありません。しかし、根本にはこういう暗黙のエネルギーの発散という側面があったのではないか。

暴論だと思われるかもしれません。しかし、少なくとも大学紛争に関しては、当事者たちがそれに近い物言いをしていたのです。当時、医学部生が大学に要求していたことは、インターン制度の改革でした。

インターンは、学生でもなければ医者でもない。中途半端な見習いのような存在だ。

こんなおかしな待遇はあるのか、それを改善しろというのが彼らの要求でした。

それは別に体制の転覆でも何でもない。つまり、若い人たちが大人に「俺たちもきちんと社会の仲間に入れろ」と言っていたに過ぎないのです。社会に拒絶、冷遇されてたまったエネルギーを発散しようとしただけです。もともとの発火点はそこで、それからさまざまな問題に飛び火していったのです。

これは若い人が大勢出てきたのに、体制側がそれを取り込むための装置、噛み砕いていえば若い人のためのスペースを持っていなかったから起こったということです。さきほどのヨーロッパでの話とまったく同じことが日本でも起こっていた。

これがなぜ世界で同時多発したかといえば、都市化と絡んできます。石油が世界中に安価に供給されるようになったおかげで、大都市があちこちに出来ました。物流が飛躍的に伸びて、大都市に人が住めるようになった。世の中が効率化しました。

そうすると遊休の人口が増える。ところが、その遊休の人口全員に仕事を与えることは出来ない。それが団塊の世代がぶつかった問題ではないでしょうか。

全共闘運動の発火点は日大というマンモス大学でした。そのマンモス大学を出てもなかなかロクな就職口がなかった。そのフラストレーションが運動の背景にあったはずなのです。

反権力と反体制

もちろん、こういう解釈は極端にマクロに分析した場合であって、当の本人たちがそんなことを考えて竹やりを振り回していたわけではありません。戦争を起こした人たちが「人口を減らそう」と意識してやったわけでもないのも言うまでもありません。

当時竹やりを振り回していた人には納得がいかないかもしれません。しかし、そもそも彼らが「反体制」を唱えていたとしても、別にまったく新しい政治を求めていたとは私には思えないのです。

政治の対立というのは、実は同じ穴の狢《むじな》ということが多い。一見対立しているようで、実は対立していないことが多い。対立しているように見えても、実は同じなのです。表現方法が逆さになっているだけです。

反権力を声高に言っている者は、つまり俺に権力をよこせと言っているに過ぎない。

決して体制そのものに異を唱えているわけではない。反権力と反体制とは別ものです。

全共闘が反体制と言っていた時は、「これは反体制じゃない、反権力だ」と私は思っていました。あいつらが勝ったら結局、「体制側」と同じことをするんじゃないかと思っていたのです。もっと平たく言えば、「俺に金を寄越せ」と言っているだけなんじゃないかと思ったのです。

その証拠に、反体制を唱える集団でも、人間性の素晴らしさをうたう宗教団体関連の政党でも、内部にはもの凄いヒエラルキーがあるのです。

敗軍の将の弁

最近、戦後の日本の思想家たちの言論をまとめた『〈民主〉と〈愛国〉―戦後日本のナショナリズムと公共性』（小熊英二著・新曜社）という本が評判になりました。丸山真男、吉本隆明、といった人たちがどのように戦争について語ったか、ということを丹念に集めてまとめたものです。

ここで述べられているようなことについて、私はまったく知らなかった。その人たちの本を読んだことがないわけでもないのに知らなかったというのはなぜかといえば、興味がなかったということです。その理由は結局のところ、そこで思想家、あるいは文化人と称する人たちが語っている戦争というのは、自分たちが戦時中に言ったこと、やったことを後の視点で合理化したものに過ぎないからです。

「敗軍の将、兵を語らず」ではないですが、こういう自己弁護のような行為にはあまり意味を感じられない。

多分、戦時中に調子にのっちゃったな、という人もいるのでしょう。それを「私はあの時はああだったから」と弁解なり合理化をしても、他の人の参考には別にならない。それは個々の事情に過ぎないから、普遍性を持ち得ない。戦争の総括や一般的議論にはならないのです。

軍国主義者は戦争を知らない

実は日本はいまだに太平洋戦争の総括が出来ていないのではないでしょうか。もちろん、たくさんの犠牲者を出しました。アメリカにボコボコにやられました。しかし、戦後の発展をみたときに、本当に負けたといえるのか。

犠牲者が出て気の毒だとかそういうこととは別の収支決算、コストパフォーマンスの算出をしてみようという試みに、歴史、人文科学系の人がなぜ取り組まないのかが不思議です。少なくとも個々の人間の合理化のための言い訳よりははるかに一般性のある問題ではないでしょうか。

何も戦争体験を語ることを否定しているのではありません。戦争では兵隊も庶民も酷い目に遭いましたし、そのことを語り継ぐことも大切でしょう。広島、長崎にせよ東京大空襲にせよ、あんな犠牲を払うのならば、戦争なんてするもんじゃない、というのは当然の感情です。

ただし、それとは別の分析や総括が必要だったのではないかと思うのです。クラウゼヴィッツが『戦争論』で書いている通り、戦争に外交の手段という側面は間違いなく存在しているのです。しかし、日本人にはその感覚が無さすぎた。

だから「軍国主義」に走ったのです。おかしなことを言っていると思われるかもしれませんが、つまり「外交」が抜け落ちて軍だけが走ってしまったということです。政治の一手段だったはずの戦争が、むしろ逆に目的になってしまった。

太平洋戦争で勝って行くうちに、どこが引きどころだかわからなくなったのは、そういうことなのです。石油資源の確保ということで考えれば南方を押さえた時点で終わっていたでしょうし、国際社会が満州を認めてくれているときにやめてもよかった。しかし、すでに外交手段ではなくて、戦争そのものが目的化したから引き際がわからなくなったのだと思います。

東大にいるときに、ある席で隣に舛添要一氏が坐っていました。今は国会議員ですが、当時彼は東大の助教授だったのです。その彼が隣で何かブツブツ言っている。何をブツブツ言っていたかというと、「戦争を研究すること自体が何か許されない風潮があるんだよ」と怒っていたのです。冷静に戦争を研究すること、損得を考えることが、とんでもないと思われていることに怒っていたのでしょう。

このへんの計算は中国あたりのほうが知恵があります。チベットに攻め込んでいるのだって、向こうが弱いと見越してやっているし、引くところでは引いている。

イラクの知人

イラク戦争に関していえば、どう考えても中東のあの国に日本がそんなに深く関わらなくてはいけないほどの関係があるという考え方には無理があるのではないか。これが北朝鮮ならばわかるのだけれども、イラクとなると「イスラムのことはイスラムにやらせておけ」と言いたくもなります。

私が知っているイラク人は、大学の助手時代に研究室にいた男一人だけです。彼がしょっちゅういなくなるので、よく電話番をやらされた。後にも先にも、つながりといえばそのくらいでしょうか。

その程度の付き合いしかないから関わりたくない、というのは本当に幼稚な論理なのでしょうか。

そもそもアメリカに従っておくのがいいというのが現実的な判断ということになっているけれども、それでいいのかどうかもよくわかりません。アメリカという国の実体は何なのか。ブッシュ大統領ではなくなったときに、政策はどうなるのか。

もしも日本の政治家がプロを自認していて、自分たちこそが現実的だというのであれば、そこまで見越して発言や行動をして欲しい。しかし、そのへんの素朴な疑問についての納得の行く解説はあまり聞いたことがない。

もっとも、アメリカはイラク戦争をやったことで今、馬鹿なことをやったかのように見られていますが、それだけでは終わりません。世界のなかでアメリカが嫌いな人たちは「ざまあみろ」くらいに思っているかもしれません。しかし厄介なのは、アメリカは仮にこれが泥沼化しても何らかの学習をするということです。彼らは始終戦争をしていて、あれくらい暴力に詳しい国はありません。常に学習をしています。

戦争で実習をして、暴力装置としては進化を続けているのです。

ブッシュ大統領が電撃的にイラク訪問をして兵隊を励ました。それを見て笑うのは簡単です。しかし、彼らはああいうPRがどんな意味を持つのかということもすべて計算をしてやっている。そういう知恵はある。そしてどんどん進化しているのです。

国益とは何か

現実派というか親米派というか、そういうタイプの政治家は、「だからアメリカに軍備は敵わない」ということを暗黙の了解として話を進めます。あいつらは強いんだから、言うことを聞いておこう、ということです。

その理屈で進めるのならば、そもそも日本はアメリカの五十一番目の州になればいいわけです。ブッシュ大統領のやることのほうが、小泉首相がやることよりも、自分たちの生活に大きな影響を与えるのだと仮に認めるのならば、日本はアメリカの大統領の選挙権を持ってしまったほうがいいのだから、アメリカの国民になるほうがいいじゃないかと思います。

結局のところ、ここでもコストパフォーマンスの考え方が抜けているような気がします。イラク戦争に関していえば、「国益」という言葉がよく使われました。それはコストパフォーマンスのことだと思うのですが、ではそれが何かということは政治家は語らない。極端に言えば、何人まで死んでもよくて、何人からだといけないという計算をしていない。そもそも「国益」の定義がないのです。

イラクの石油が大切だ、中東から石油を買っているから貢献せねば、と言う人もいます。しかし、どうしてお客のほうが立場が強い、というふうに言う人がいないのかもわかりません。買ってもらえなくて困るのは先方ではないのか。少なくとも、他の商品に関してはお客のほうが強いのがあたりまえですが、石油だけ特別扱いする理由を本当に検討したのでしょうか。

ある意味で、乱暴ではあっても論理からいえば、「自衛隊がイラクに行くのは、北朝鮮で何かあったときのための予行演習です」というほうが話はわかりやすいような気さえするのです。現にアメリカは戦争の度に鍛えられて、ある種の進化を続けているのですから。

ものつくりという戦争

「日本はものつくり大国だ」と言われています。「プロジェクトX」という番組では、必死でさまざまなものを作っている人のドキュメントが人気を呼びました。

なぜあの番組があんなに人気が出たのか。そしてなぜ戦後そんなにものつくりに打ち込んできたのか。そこにも戦争の影響があったように思えます。

日本人は戦争のときに八紘一宇だ、一億玉砕だと唱えたが、コテンパンにやられた。

それまでの価値観がひっくり返された。下手な理念はあてにならない、それよりも確実なのは科学技術だと思うようになった。だからとにかくものつくりに突き進んでいった。敗戦に対する復讐です。

実は私自身、自分が解剖学に進んだ動機を考えていくと、これとよく似ているのです。戦争が終わったとき、小学生だった私は「騙された」と思ったものです。

それまで聞いていた話と大違いだったのですから、当たり前です。そこでやはり何か確実なものを求めたくなってきた。

医学のなかでも最も変わらないものは何かといえば、それは死体です。まったく動きません。意識していたわけではないのですが、どうもそういう気持ちがあったように思います。

私が大学で教わった先生も、確実なものを求めた結果、解剖に進んだということを仰っていました。多くの日本人が何か確実なものを求めようとした。その結果としての「ものつくり」だとすれば、今後はその分野が衰退していくのも無理はないのかもしれません。

第八章　安楽死とエリート

安楽死は苦しい

第六章でも述べましたが、脳死や安楽死といった共同体のルールに関する問題を表に出して議論することの意味については、いささか疑問を感じます。

安楽死について考える場合に、私は「安楽死をする方」の患者側の立場ではなく、「安楽死をさせる方」の医者側の立場を考えてしまいます。それは医者ではない人はあまり考えないことなのでしょう。

そして医者の立場からすると、やはり誰かを安楽死させたという経験は、生涯記憶に残ることのはずなのです。一種のＰＴＳＤ（心的外傷後ストレス障害）が残るはずです。

前に述べたように、医者も患者をモノとして見ているわけではありません。逆の言い方をすれば、そういう傷が残らないような人は、あまり医者としていいとは思えない。むろん、安楽死なんかを手がけないほうがよいのではないか。

いつもここの部分がはっきり理解されていないような気がします。それは物の考え方、議論がどうしても被害者の感情中心になっているということと関係があります。これは戦後の風潮でしょう。

加害者の気持ちというものについては考慮されずに済まされがちです。だからここではあえて加害者の立場を中心に安楽死問題を論じてみます。これはいわゆる「人権尊重」の人たちが唱えている「犯罪者の権利」とかそういうものとはまったく別の話です。

エリートは加害者

ここでいう加害者は、エリートと言いかえてもいいかもしれません。エリートというのは、否が応でも常に加害しうる立場にいるのです。決して昨今いうところの、単にいい大学を出ているとかいい企業に勤めているとかそういう人たちを指しているのではありません。

たとえば乃木希典《まれすけ》陸軍大将を例にとってみましょう。日露戦争の二百三高地での戦いで彼はたくさんの若い兵隊たちを死なせてしまった。さまざまな見方はあるでしょうが、だから最後は自分も腹を切った。

兵隊を死に追いやった重さを乃木大将は背負わなくてはいけなかったからです。エリート、人の上に立つ立場の人というのは、本来こういう覚悟がなくてはいけない。常に民衆を犠牲にしうる立場にいるのだ、という覚悟です。

そして、エリート教育というのはこういう責任や覚悟を教えなくてはいけなかったはずです。決して自分たちだけが特別に偉い人間だということを教えるものではありません。しかし、戦後はそういう本来の意味でのエリート教育が無くなった。

先日、自衛隊の司令官の人と話す機会がありました。そのときに彼は、

「こういう時代だから、自分もいつか部下を戦地に送り出して死なせてしまうかもしれません。そういうふうに兵隊を送り出すという行為を自分がする最終根拠はどこにあると思いますか」

と聞いてきました。こういうことを考えている人は司令官として立派だと思いました。エリート教育というのはまさにそういうことを教えるものだったはずなのです。

その一方で、道路公団の総裁が辞めるの辞めないのと騒いで、「自分が喋ると人が死ぬ」と言ったとか言わないとかいう話題がありました。しかし、そもそもああいう立場に立つ人間は、自分の下す決定で、人を殺す可能性があるのです。さまざまな工事で事故死する人間がいることを承知していなければならない。今では不要だというのが専らの評判である本四架橋を何本も作っている間にはケガ人や死亡者を出したでしょう。そんなこともわからずにエリート面してどうするのか。喋る前から人は死んでいたのではないでしょうか。

医者が安楽死にかかわるということにも同様の責任、重荷が付いて回るはずです。五年以上前に、オランダの医師と対談をしたことがありました。オランダはご存じの通り、安楽死が合法化されており、その医師は実際にそれを行っていました。彼の現在の心境には非常に興味があります。おそらくまともな医者であれば、安楽死にかかわり続けることで何らかの変化があったのではないかと思うからです。

産婆の背負う重荷

深沢七郎に『みちのくの人形たち』という小説があります。作家である「私」が、ひょんなことから知り合った東北の男性の家を訪ねていく。その男性は村人たちからは「旦那さま」と呼ばれていた。

なぜそう呼ばれているのか。男性は、自分の家は代々罪深いことをしている、だから村人はそう呼ぶのだと言います。

その家に、「嫁が産気づいた」と村人がやってきます。「私」はてっきり、その家の奥さんが産婆さんなのかと思います。が、村人はその家から屏風《びょうぶ》を借りただけで帰っていきます。

どういうわけか村人たちは妊婦が産気づくと、その家に屏風を借りにくるようです。

翌日、「私」は男性と一緒に、屏風を貸した家を訪ねます。家からは線香の匂いが漂ってきます。訪ねた先の家の老婆は「母子《おやこ》とも変りありませんでした」と言いました。

出産が終わった家には、例の屏風が立ててあります。その向こうに母子がいるのだろうと思った「私」はあることに気づきます。屏風が逆さに立っているのです。「逆さ屏風」は死者のそばに立てるものなのです。

ではなぜ「母子とも変わりありませんでした」なのか。「私」は男性に、あの家で何か不幸があったのではないかと尋ねます。そこでようやく男性は、自分の家の「罪」を語り始めます。

彼の先祖はその村で代々産婆をしていました。産婆ですからもちろん出産を手伝うわけですが、同時に間引きを手伝うことも多かったのです。生まれたばかりの嬰児《えいじ》が産声をあげるまえに産湯のタライの中にいれて呼吸を止めてしまうのです。

屏風は生まれてくる子を生かしたいか、間引きたいかを産婆に伝えるサインに使われていたのです。逆さならば間引きしたいという意味です。

すでに男性の家は産婆はやっていないのですが、その村では彼の家から屏風を借りるのがならわしになっていたのです。「母子とも変わりない」というのは、予定通り、産婦は大丈夫で子どもは亡くなった、という意味だったのです。

「私」と男性がこの話をしている部屋に仏壇があった。そのなかには彼の先祖のお婆さんをモデルにした仏像が飾ってあります。そしてその仏像には両腕がありませんでした。お婆さんは家業の産婆をやっていました。ということは間引きもやっていたわけです。年をとってからお婆さんはそれまでの「罪を重ねたその手」を切り落としたというのです。自分では出来ないから身内にやってもらったそうです。

お婆さんはもちろんのこと、その子孫である男性もいまだにその罪深さを背負っているということでした。

重苦しい話を聞いた後、「私」はその地を去ります。そのとき土産物屋でコケシが目にとまります。その人形がお婆さんの仏像とオーバーラップしてきます――。

つきまとう重荷

『みちのくの人形たち』はこんなストーリーです。コケシはもともと「子消し」から来ているという説もあります。庶民の間でも、こういう仕事について「業《ごう》」というものがついて回るという意識があったことが伝わってくる小説です。

ちなみに、オランダのホスピスで安楽死を行う医師は、他の治療行為には、あまり携わらないと聞いたことがあります。一方で人を「殺し」、他方で「助ける」のは矛盾だからなのでしょう。

もちろん、何らかの忌み嫌われる仕事を請け負うことが、そのまま業を背負うことに繋がるという考え方は、差別に繋がりやすいのでその点は注意が必要です。

都市化が進むと、こういう職業は見ないようになります。無いものにしようとする。だから、普通の人が意識をしなくなるのも無理はありません。

このことと、エリート教育の問題は微妙に交差しています。

安楽死にかかわる医師も、このお婆さんのような何かを精神的に背負うことになるでしょう。

本来は医者だって、そんなに簡単に安楽死なんて処置が出来るはずはないのです。もしもそれを簡単にやれるような人が増えてくるとすれば、それは都市化と関連があります。なぜなら、都市化によって人と人との距離が離れていくと、相手が何者かがよくわからない。より「三人称の死」に近くなります。

これが昔風の共同体であれば、相手がどんな人か生まれたころから知っていたりする。

その周囲の人間も代々知っている。そうなると、下手なことは出来ません。少なくとも安楽死を安易には出来ない。そして、そういう仕事を請け負っている人間にはある種の後ろめたさがある。その他の普通の人には、エリートに請け負ってもらっている、押し付けているという後ろめたさがある。

しかし、昨今は安楽死でいえば、全てが医者の責任で行われて、あたかも一般の人にはその後ろめたさが無いかのような議論が目立ちます。その仕事を他人にやってもらうという後ろめたさが無い。

これを逆に見れば、エリートが存在しなくなったということになります。エリートというのは本来はある種の汚れ仕事を引き受ける立場だったはずなのです。地元に利益誘導をした政治家が「悪い奴だ」と言われたりします。鈴木宗男氏が袋叩きにあったのは記憶に新しいところです。しかし、利益誘導を頼んだ側は余程のことがない限りおとがめなしです。

安楽死を安易に考える人は「死にたいっていうんなら死なせてあげればいいじゃないか」と言うかもしれません。「植物状態で生かしても、本人も家族も不幸なだけだ。早くケリをつけたほうがいい」と言うのは簡単です。しかし、そう言う人は、少なくとも「死なせる側」の医師の立場は全く考えていない。ちょっと想像すればわかるはずなのですが。

たとえば目の前に植物状態の患者や、病苦で「死なせてくれ」と言っている患者がいたとします。手元の注射を一本打てば、それで相手は安楽死する。では、そのときに、簡単に注射を打つことが出来るでしょうか。

死刑執行を考えてもわかるはずです。国や制度にもよりますが、死刑囚一人に対して複数の死刑執行人がいるというやり方は珍しくありません。銃殺ならば何人も死刑執行人が並ぶ。ボタンを押す場合でも、複数の人間がボタンを押したりする。これも「殺す側」の心に配慮したからそうなるのです。毎回、マンツーマンで「自分が殺した」とわかったら、たとえ相手が極悪非道の殺人鬼ばかりでも、執行人の神経が持たないでしょう。

エリートの消滅

このように、特定の人間にある種のことをやらせる、請け負わせる、または押し付けることについての意識が希薄になっている。特定の人間のほうの気持ちや立場に考えが及んでいないのです。

それがエリート教育が無くなってしまったことの根本です。普通の人たちが、エリートに何かそういう汚れ仕事をさせているという意識を持たなくなっただけではありません。エリートだったはずの側も、自分たちがそういう責任を負っているという意識が無くなった。多くのトップ、指導者と言われる人たちに、自分が人の生死を握っているという意識が無くなっているのもそのせいです。

安楽死をさせる医師、死刑執行人以外にそういう決断をするのは、たとえば戦争を決断するときの国家元首がそうでしょう。昭和天皇はその重さを背負われたはずです。

首相はふだんいいところに住んでいいお金を貰うかもしれないが、最終的には「人殺し」と遺族に言われるかもしれない立場だということです。直接自分が手を下さなくても、人を危険なところに行かせるというのはそれと同じことなのです。ここで問題にしているのは、危険なところに行かせることの是非ではなく、誰かがそういう重さを背負わなくてはならないということです。

そういう気持ちを背負う立場なのが、かつてのエリートだったのです。誰もがみんなそれを背負いたがっているとは思えません。エリートというのがいいお金を貰ったり、普段の地位が高いというのも、その責任を背負うという前提があってこそなのです。

ところが、今の社会はそれが無くなった。特に日本の場合は、平等主義がいたるところに蔓延してしまった。そのために、エリート教育というものも無くなった。そしてエリートが背負う重さというものが無くなってしまった。エリートという形骸化した地位だけが残ったのです。

自分についてもエリート教育というものは受けていなかったと思っています。私が学生のときにはすでにもう無かった。だから私は臨床医になりそびれたのでしょう。

つまり「患者を殺したらどうする」ということに対する心構えが出来ていなかった。おそらく真のエリートというのは、明治以来の生き残りは別として、戦後にはいなくなっていたのではないでしょうか。

銀の心臓ケース

安楽死に携わる医師は、必然的に重さを背負うことになります。それを一生背負い続けます。彼らを衝動的な殺人犯と混同されると困るのです。

こういう安楽死のような問題は、もともとは共同体のルールで何となく済ませてきました。あえて曖昧にしていた、グレーゾーンに置いていたと言ってもよいでしょう。ところが、それをあるときに表に出そうとした。だから色々と議論されたり揉めたりするのです。ここには、何でも欧米なみにしようという戦後の意識が関係しているのかもしれません。そうなるとどうしても明文化したくなります。「なあなあ」で済ませているのはいかにも日本的だ、村的だ、古臭い、という考え方です。

しかし、実際にヨーロッパでもこの種の微妙な問題を本当に何でも意識化または明文化しているのかというとちょっと疑問も残るのです。

たとえばオーストリアの王家、ハプスブルク家の埋葬方法は非常に特殊でした。死体から心臓だけは取り出して、わざわざ銀製のケースに入れて教会に収めていました。

ハプスブルク家のための銀製心臓ケース（©東美）

これは非常に特殊な埋葬方法で、この地方でも実施していたのはハプスブルク家の一族だけでした。完全にハプスブルク家のローカル・ルールによって埋葬が行われていたわけです。

では、なぜ何のためにこんな方法をとっていたかというとどこにも書いてありません。おそらくは当時あった心臓信仰、つまり心臓に魂が宿っているという考え方と関連があるのでしょうが、詳細は不明です。

この埋葬方法をする場合には、銀製の心臓ケースを作る人も必要になります。さらに解剖をする人も必要になります。しかし、歴史書には誰が解剖したかは書いていない。実質的な主語なしで「かくかくしかじかの方法で埋葬された」と書いてあるだけです。

主語が無いというのは西洋語としてはちょっと不自然な話です。そういうときの主語には何かといえば「It」を使います。簡単な例でいえば、「雨が降っている」は「It rains」となります。この時の It は何をさしているかといえば、「自然」ということになります。人間の外にある存在、といってもいい。

ハプスブルク家の死体の解剖をしていた人間は、「世間の人」ではなかった。都市の人間から見れば賤民だった。彼らは主語にはならなかった。

つまり、ここでもやはり共同体のルール、あるいは暗黙の了解で解剖、埋葬がおこなわれていたわけです。このへんは、これまで述べてきた「世間」の概念に非常に近い。西洋においても、死に関していえば必ずしも全てを表に出していたわけではないということを示す例ではないでしょうか。

解剖は誰がやったのか

江戸時代の解剖でも、同様の現象が見られます。杉田玄白が最初に解剖をやったということになっていますが、そうではありません。そのとき実際に解剖をやったのは、当時の被差別民です。その経緯は、『蘭学事始』に次のようにきちんと書いてあります。

さて、腑分のことは、えたの虎松といへるもの、このことに巧者のよしにて、かねて約し置きしよし。この日もその者に刀を下《おろ》さすべしと定めたるに、その日、その者俄かに病気のよしにて、その祖父なりといふ老屠、齢九十歳なりといへる者、代りとして出でたり。（中略）彼奴《かれ》は、若きより腑分は度々手にかけ、数人を解きたりと語りぬ。

要は「虎松」という習熟者に頼もうとしたら彼が急病になったのでそのお爺さんがやってきた、そのお爺さんも若い頃から何人も解剖をした経験者だったということです。いずれにせよ医学史をきちんと書くならば、医者に解剖を教えた存在がいたことを書かなくてはいけない。そう書いてある教科書はありませんが。

教科書では、杉田玄白がやったということになっています。これは学者がやらないと

「解剖学」にならないということです。ここにも、「学」は学者がやるものだという暗黙の了解が存在しています。現代の目から見れば差別ということになるでしょう。ハプスブルク家の解剖を請け負っていた人たちが歴史に残らないのと同様に、杉田玄白の名は残るが、実際に技術を持っていた人たちの存在は消されてしまったのです。

少々話は脱線するのですが、『解体新書』を読むと、十八世紀の江戸にすでに近代的な科学思想が生まれていたことがよくわかります。杉田玄白以前に解剖を行った山脇東洋は、どんなに偉い人だろうが野蛮人だろうが、内臓はみな同じということを書いています。要はどんな偉い人でも偉くない人でも、中身は同じだ、と言っているわけです。今では常識ですが、厳しい身分制度のあった時代ではずいぶん思い切った物言いです。

実際に解剖をする人たちを社会的に差別するという非論理的な面がある一方で、近代的な自然科学の目がすでに江戸時代にはあったということです。当然、実際に解剖をしていた被差別民の側にも、この認識はあった。うかつに口にしたらえらい目にあったでしょうが。

さらにこの当時、解剖の対象だった死刑囚にきちんと慰霊祭をしているというのも興味深い事実です。京都のお寺に祭文が残っていて、そこにいきさつが書いてある。それで解剖された人が、どういう人だったかわかるのです。もちろん、死罪になった人だから、強盗の類をやった人です。

そのどこが興味深いかというと、実は当時死刑囚に対して葬儀を出すことは許されなかったのです。考えてみれば当然のことです。法律というのはお上が定めたもので、それに違反して死罪になったということは、端的に言えば謀反人です。そんな輩《やから》に葬儀をする必要は一切無い。

だから、彼らを弔うというのは政治的に見れば問題になることです。しかし弔わざるを得なかった。これもまた、『みちのくの人形たち』のお婆さんや、安楽死をさせる医師の心境にどこか通じているのではないでしょうか。

天の道、人の道

この杉田玄白らに大きな影響を与えたのが荻生徂徠です。徂徠がもともと学んでいたものは江戸初期の儒学、宋学です。宋学の基本思想のひとつが、「天人合一」でした。

これは天の道と人の道が一致しなくてはいけないという考え方です。天の道、すなわち自然界の法則というのは非常に良く出来たもので、それと人間界の法則、社会の法則は一致するのが理想である、という考え方です。

ところが、徂徠は「先王の道は、先王の造る所なり。天地自然の道に非ざるなり」(『弁道』)と述べた。先王というのは、尭、舜、孔子といった偉大な先人たちを指している。人間界の道、ルールというのは先人が決めたものである。それと自然界の法則とは別物である、と主張した。

もっと噛み砕いていえば、「建前では天地の上下と、君臣の上下は一致しなくてはいけないと先人たちは言っているけれど、実際はそんなことはない。人間のルールは人間のルールなんだから、ちゃんと決めなくては駄目なんだ」ということです。

日本が明治に入って他のアジア諸国よりも自然科学が伸びたのは、こうした思想があったことと無関係ではないと思います。社会的なルールと自然科学のルールは別だということが常識だった。

これは現代の目から見れば当たり前かもしれません。が、少なくとも中世ヨーロッパに代表される神政政治の世界では「天人合一」が前提だったのです。教会が政治の中心にいればそうなります。

西洋は近代化とともにその状態から脱しましたが、不思議と日本も江戸時代からこういう近代科学に連なる思想が一般的になっていた。これは中国のように強い専制君主がいる国では考えられないことでした。いつも偉い王様がいて、その人の作っているルールと世界観が、自然科学の世界観と繋がっていなくてはならなかった。それは自然科学とは別物になるわけです。

ルールの明文化

天のルールと地のルールは異なる、というのは、つまりはタテマエとホンネは違うということにも繋がります。タテマエでは「人を殺してはいけない」ということになっていた。どんな理由があっても人を殺してはいけません、というルールです。その一方で、共同体のルールがあった。間引きに代表されるように、暗黙の了解のうえで目をつぶることがあったのです。

現代において、安楽死の基準を法律で定めようとするならば、それは、この共同体のルールを天のルールにするとは言わないまでも、明文化して表に出してしまおう、ということです。タテマエに近づけようとしていると言ってもいいでしょう。

問題は、さまざまな厄介な部分が存在しているのに、それを踏まえずに明文化することとイコール近代化だというような安易な考え方で議論を進めると、どこかで矛盾なりモヤモヤした気持ちが残ってしまうということです。

現代人はともすれば、とにかく明文化すること、言いかえれば意識化することそれ自体が人間のためである、進歩であると考えます。そこには一体どの程度まで意識化することが人間のためになるのか、という観点が抜けているのです。

意識化することを一つの目標とするのは、学者としては正しい立場なのかもしれません。しかし、私はどこか根本的に見落としている点があるような気がするのです。言語に絶するというか、どこかで言葉に出来ない領域というのがあるのではないか、あってもいいのではないかと思うのです。

そもそも言葉というのは人間が持っている機能のごく一部に過ぎません。にもかかわらず、言葉によって全てを規定しようというのは何か無理があるのではないでしょうか。

法律というのは明文化されたものが中心にあります。その法律で囲まれた社会では、言葉が全てのようにも思えます。しかし、アメリカでさえも陪審員制度というものが存在している。そこには人間の裁量という、かなりいい加減なものが入る余地が残されているのです。

人命尊重の範囲

人間の頭の中で、かなり多くの事柄を整理することは出来ます。しかし、実際の世の中はそんなに整然としたものではない。したがって、整然としたルールのみで社会を扱おうとするとどうしてもどこかにゴミ溜めが出来てしまいます。言語化できないこと、ルールに入りきれないものをどんどんそこに放り込んでいくと、次第にそのゴミ溜めが肥大化して、いつか溢れます。そうすると、社会の枠組なりルールなりが壊れることになります。

社会の枠組、ルール、建前、あるいは意識で片付けられない問題というのは必ず起こります。安楽死はそれに類する問題です。

タテマエからすれば、医療行為の前提には「人命尊重」「人助け」ということがあります。それをお題目にとにかく徹底的に医療行為をする。実はそれはそのまま経済行為にも繋がっている。そして医療行為が無限に肥大すると、そこからこぼれ落ちてしまう、ゴミ溜めに落ちてしまう問題も出てくる。その一つが安楽死問題です。

なぜなら、どこまでも患者を助けようとする現代の医療は、突き詰めれば「人間は死なない」という前提でやっているのと変わらないことになるからです。「人は死ぬものだ」という前提を落としてしまっている。すると死について正面から考えるのは難しくなる。

「人命尊重」を単純に至上のものと言えない例を一つあげましょう。アメリカでコースト・ガードの制度を作ったことがありました。海岸で溺れた人の救命作業をする専門家を置いたわけです。その結果、どうなったかといえば、脳に障害を負った人が増えた。溺れかけて途中で蘇生したものの、脳に重い障害が残ったわけです。そうすると、介護を要する人が非常に増えた。社会的コストは上がってしまった。

「人の命は地球より重い」という類の人命尊重論は、戦争の反動から発生しました。戦争中は、本当に人の命が軽かった。その反動が生じるのは当然のことでしょう。

ただし、その理念がタテマエなのは言うまでもありません。要るかどうかわからない橋を架けるのに、工事関係者は何人も死んでいるのです。車社会になって年間一万人も死んでいるのに、車を無くそうという人は少数派です。

役所の書類が多い理由

問題は、これがタテマエに過ぎないということをわかっていない人が多過ぎることです。そしていつの間にか脳死や安楽死の問題と結びつけてしまっていることです。脳死、安楽死の問題は、人命うんぬんではなく、共同体のメンバーを永遠に村八分にするかどうかという問題です。村八分には必ず「そんなことしていいの?」という意見が出ます。「俺は聞いてねえぞ」という人が現れるのです。

ネックになるのは、村八分というのは共同体全員の合意事項だというルール、暗黙の了解だという点です。そうするとこの「俺は聞いてねえぞ」が大問題になる。

こういうことは日本では非常に多いのです。だから役所の書類はあんなに増えるのです。委員会をやれば委員全員に平等に情報が伝わっていないとそれだけで怒る人が現れるのです。「俺は聞いてねえぞ」と。

全員が「あんな奴はいないほうがいい」となれば村八分は難しくない。だから死刑制度はそんなに問題にならない。もちろん廃止論者はいますが、さほどの力があるとは思えない。少なくとも安楽死よりも議論が盛り上がっているようには見えない。

これは、死刑については「あんな奴はいないほうがいい」という村の論理のほうが成立しやすいからです。あんな酷いことをした奴は、この村から出て行って構わない、というのは一致しやすい。しかし、あそこのおばあさんはもう寝たきりで家族も大変だから、いなくなってもいいだろう、ということについてはなかなか一致は出来ないのです。

自分への恐怖

結局、こういう問題での主張というのは、それぞれの局面で自分を語っていることに他なりません。要は自分が殺される立場だったらどうなのか、殺す方だったらどうなのか、という問いかけへの答えなのです。前者については比較的表で議論されるけれども、後者については殆ど議論されない。実は常にこの問題に関わるのは、後者の人間、安楽死でいえば医師のはずなのですが、それについてはまず語られないのです。

このように考えれば考えるほど、安楽死に関しては、明文化しようとすることがいいのかどうかは疑問です。それに対して「きちんと決めないと危ない奴が出てきて次々安楽死させるんじゃないか」と言われる方がいるかもしれません。しかし、実際には安楽死が必要な患者さんがそうたくさんいるわけではないし、悪いことをする人は法律があろうと無かろうとする。

安易にルールで決めると、今度はそれに従って人間は動こうとするものです。

ここまでは主に医者の立場から見てきましたが、実際にそれに合意をした場合の家族の気持ちがどうなるのか、それだって読みきれていないのではないでしょうか。仮に自分の親の状態が、法律上、安楽死させても罪に問われない状態だったとする。そのときに、「やってください」と言って、後からどういう気持ちになるのか。想像もつかないでしょう。自分自身が怖くなるかもしれません。

だからこそ逆に、「法律で決めて機械的にやれるようにしてくれ」ということなのでしょう。「次々安楽死させる危ない奴が出てくるかもしれない」という懸念は実は、自分についての恐怖を語っているのではないか。自分がいったん一線を越えると、そんなふうになってしまうのではないか、という恐怖です。

以前、作家の日野啓三さんが、解剖を見せて欲しいと言ってこられたことがありました。もちろん私のほうは構わなかったのですが、結局、彼のほうから断ってきました。

その理由は、「見ることで自分がどう変わるかわからないからそれが怖い」ということでした。繰り返し申し上げているように人間は変わるものですが、変わってしまった自分というのは別人です。その状態を予想するのは、ちょっと怖いことなのです。

安楽死に歯止めをかけたいという人の気持ちのどこかにもこれに近い恐怖があるのではないでしょうか。いったんよしとしたら、自分は何にでも合意してしまう人間になってしまうのではないか、という恐怖感です。

その逆に「どんどんやればいい」という立場の人は、とにかくルールを作って考えずに済むようにしてくれ、ということです。学者、専門家というのはこの考えずに済ませようとしているところをきちんと考えなくてはいけないのですが、あえて黙っている。

本来は、安楽死というのは他の死と同様に、一般論が成り立たない話なのです。「昨日の安楽死者一名」という片付け方は出来ません。個々のケースによって、そこに至るまでの事情はすべて違って、二度とやり直しはきかないのです。

解剖教室の花

私は年に一回、献体の供養に行きます。これも、解剖させてくれた人たちへの気持ちを何とか自分の中で収めようとする行為です。特定の相手ではないにせよ、「私がやらせてもらいました」と謝りにいくわけです。

まだ私が東京大学の解剖学教室にいるときの話です。解剖を進めていって、最終週に入った日に、一人の学生が花を一輪、机の上に供えたのです。普段は、そういうことは誰もやりません。が、私は「ああ、いいことをするな」と思って感動したのです。

その翌日、教室に行くと今度は全員の机の上に花が一輪、供えてありました。教室の机の上に一輪挿しがずらりと並んでいたのです。「何も言ってないのに、学生も捨てたもんじゃないな」と思いました。東大にいる間で、一番感動した瞬間です。

彼らは解剖をしていくうちに、どこかで他人の痛みを背負うということが身についたのだと思います。こういう気持ちというのは強制できるものではないですし、教えるものでもないと思います。人間ならばもとから持っているはずのものだろうと思いたいところです。このへんは私は性善説なのかもしれません。

医者ならば今でもこういう人の死に関係した経験を嫌でもするわけです。しかし、人の生死に関わっているという意識がないままに「エリート」になってしまう人が多い。だから、患者を人ではなくて、カルテに書かれたデータの集積、つまり情報としか見ない医者が増えた。これが困ったことだと思うのです。エリート教育の不在というのはこういう弊害を生み出してしまったのです。

終　章　死と人事異動

死の恐怖は存在しない

死について考えることは大切だとさんざん述べてきました。しかし、だからといって死んだらどうなるかというようなことで悩んでも仕方がないのも確かです。死について考えるといっても、自分の死について延々と悩んでも仕方が無いのです。そんなのは考えても答えがあるものではない。したがって「死の恐怖をいかに克服するか」などと言ったところでどうしようもない。

それについてあえて答えるならば、「寝ている間に死んだらどうするんだ」と言うしかありません。寝ている間に死んでしまったら、克服も何もあったもんじゃありません。

意識がないんですから。

そこで悩むのは、そもそも「一人称の死体」が存在していると思っているからでしょう。死ぬのが怖いというのは、どこかでそれが存在していると思っている、一人称の死体を見ることが出来るのではという誤解に近いものがあります。

極端に言えば、自分にとって死は無いという言い方が出来るのです。そうすると「(自分の)死とは何か」というのは、理屈の上だけで発生した問題、悩みと言えるかもしれません。これは「口」と似ています。

「口」とは何かというと、実は実体がない。そんな馬鹿なと思われるかもしれませんが、実際に解剖学の用語からは削られてしまっています。

少し考えればおわかりいただけるはずです。たとえば唇は存在しています。それを指せばそこにあります。舌も存在しています。では唇でも舌でもない「口」はどこにあるのか。それは穴でしかない。実体がないのです。

建物の出入り口もそれと似ています。入り口は玄関だというかもしれません。しかし玄関の扉を取り外しても入り口はあります。かえって入りやすくなるくらいです。

こんなふうに自分の死というものには実体がない。それが極端だというのならば、少なくとも今の自分が考えても意味が無いと言ってもよい。遺産の分割とかそういう死後の処理は別ですが。

考えても無駄

「口」はどこにあるのか、みたいなことを延々と考えてもしかたがないのです。考えるべきは「一人称の死」ではなく「二人称の死」「三人称の死」です。そこがつい逆になりがちのようですが、自分の死ではなく、周囲の死をどう受け止めるか、ということのほうが考える意味があるはずです。だから安楽死や介護、脳死といったことを論じてきたのです。

死んだらどうなるのかは、死んでいないからわかりません。誰もがそうでしょう。しかし意識が無くなる状態というのは毎晩経験しているはずです。眠るようなものだと思うしかない。

そんなわけで私自身は、自分の死で悩んだことがありません。死への恐怖というものも感じない。自分の死よりは、父親の死のほうがよほど私に与えた影響が大きかった。

それは解剖をやっていることとも関係している。結局、死という抽象的なものではなく、死体という具体的なものをずっと対象にしていたわけです。死について述べるときに死体の話になるのも、それをさんざん扱ってきたし、具体的な話が出来るからです。

このへんは私の感覚はあまり一般的ではないのかもしれません。だから私が死についていろいろと言うと、「何を屁理屈言ってるんだ」という反応もあるのです。しかし、こちらからすれば私のほうが具体的な話をしていて、向こうのほうが抽象的な理屈に聞こえてしまう。一般化していう「死」というものが非常に抽象的な話に聞こえて仕方が無い。「それは一体誰の死の話なのか」ということなのです。

死というのは勝手に訪れてくるのであって、自分がどうこうするようなものではない、それを考えるのは猿知恵で良くないと思っているのです。きっときちんと考える人もいるのでしょう。しかし私はそうではない。だから自分の死に方については私は考えないのです。

無駄だからです。

自分が死んだらどうなるかなんて「口はどこにあるのか」みたいなことで悩む必要はないのです。それよりは、周囲の死について考えたほうがよいのです。

先日、オーストラリアに旅行しました。その時、向こうに住んでいる知人に現地に着いてから連絡を入れたところ、「You are an organized man.」と言われました。「相変わらず、きちんとしている人ですねえ」というくらいの意味でしょうか。もちろん皮肉です。久しぶりに来るんだから、連絡くらい事前にきちんと入れなさいよ、と言いたかったのでしょう。

そのくらい計画性がない人間が、自分の死の準備なんて綿密に考えても意味がない。そもそも葬式の日取りも知りません。せいぜいやっているのは、家族のために借金を整理できるようにしようとか、虫の標本の整理をしようかとか、そんな程度です。

それで別に困ることもないのです。

老醜とは何か

「ボケてまで長生きしたくない」ということを言う方がいます。老醜を晒したくない、というタイプの人です。私はそういう考え方をしないので、本当のところ、その気持ちがよくわからない。しかし推察するに、おそらくそういう人は、自分が変わるということがはなからわかっていないのではないかという気がします。

ただ今現在の自分というものをはっきりと固定していて、それが生まれた時から今まで殆ど変わっていないのだと、頭から思い込んでいる人なのではないでしょうか。ボケて変わるのが怖い、みっともない。そういう人は、「じゃあ、あんたは今はボケてないのかね」と言われたらどう答えるのでしょうか。

老醜うんぬんというのはあくまでも他人が見ての話で、当人の問題ではありません。講演でボケ問題について語ってくれという依頼をされることがよくあります。そのときは、最初に必ず「ボケて困るのはあなたじゃないでしょう」と言うのです。ボケて困るのは子どもや奥さん、旦那さんです。それを心配する気持ちはよくわかりますが、それはボケ問題ではなくて介護の問題です。

もちろん介護は大変な問題です。それは承知しています。日本では、介護は身内がするのが当然だという風潮がいまだにあります。年寄りに変な扱いをしたら、「何だあの家は」と非難するような風潮です。

これがあるから、年寄りのほうは家族に迷惑をかけたくなくなる。それでボケを心配したり、なかには自殺してしまう人もいるのでしょう。自分自身の状態を鑑《かんが》みて、家族に負担をかけまいと死ぬ。『楢山節考』の世界そのままです。

安楽死や脳死ではなく、本来は、こういうところでこそルールを明文化して客観的基準を作ったほうが有効なのです。こういう状態の障害ならばこのくらいの介護が必要であろう、そしてそれは家族では出来ないだろう、といった基準です。その基準をみんなが了解していれば、「うちのばあさん、これじゃあとても家族じゃ面倒見切れないんですよ。誰か手伝ってください」という話が出来るはずです。

ところが、今はそれが非常にやりづらい。結局、家族内部の問題になると、日本人は非常に人目を気にする。だから家族で背負おうとして苦労をする。

本来ならば、「家族みたいな素人に介護させるなんてとんでもない」という考え方のほうが機能的だと考えてもいいのではないでしょうか。

悩むのは当たり前

私のところに「生きがいとは何ですか」という類のことを聞いてくる方がいらっしゃいます。そもそも死の話や生きがいの話は、お坊さんがやればいいことなのです。かつては宗教家がそういう役割を担っていたのです。

それでも聞かれたのでこう答えました。生きがいとは何かというような問いは、極端に言えば暇の産物なのだ、と。本当に大変なとき、喰うに困っているときには考えないことです。

喰うに困っていなくても、トイレに行きたくて切羽詰っているときには考えない。とにかく早く行って、出すものを出したいと思うだけです。そのあとにホッとしてからじゃないと、生きがいについてなんて考える暇もないでしょう。

つまり何かに本気になって集中しているときには、生きがいとは何かなんてことについて考える余裕も必要もありません。そういう人生論が求められるという状況は、現代人が感じている閉塞感が関係しているのでしょう。

しかしそもそも人間、悩むのが当たり前なのです。

今では京都大学の教授になった私の後輩が若い頃、解剖学をやろうかどうしようか迷っていた。それで私の先生に相談した。すると、その先生は一言、「悩むのも才能のうち」と言ったそうです。

それで彼はホッとした。そもそも悩めない人間だってたくさんいます。そういう人がバカと呼ばれるわけです。悩むのが当たり前だと思っていれば、少なくともそんなに辛い思いをすることはない。

慌てるな

若い人のなかには「生きていて何の意味があるのか」と考えて自殺する人もいるそうです。そういう人には「ふざけんな、大して生きてもいないくせに意味なんか聞くな」と言いたくなります。

それでもどうしても空しい、死にたいと言われれば、もう好きにしろとしかいいようが無い。しかし、それが周囲にどれだけ大きな影響を与えるのかということについてだけは考えておいたほうがよいと思うのです。

自殺がいけないという理由は、大きくわけて二つあります。一つは自殺は殺人の一種であるということ。だから「なぜ人を殺してはいけないのか」というのと同じ理由です。もう一つは自殺がやはり、周囲の人に大きな影響を与えてしまうということです。「二人称の死」なのですから。

先日、身内に自殺された人から手紙を頂きました。その方は、どんなに自分がその身内に対して一生懸命尽くしてきたか、それでも自殺されてしまったことにどれだけ傷ついたかを綴っていました。死んでしまう人が残された人たちに大きな影響を与えるとわかっていたのかは疑問です。

病苦で辛くて辛くて仕方なく……という人は別として、そもそも自殺した人たちがどこまで真剣に自殺しようとしていたのかはわかりません。もしかしたらはずみだったのかもわからない。

私は自殺したいと思ったことはありません。簡単にいえば、「どうせ死ぬんだから慌てるんじゃねえ」というのが私の結論です。こう言うと「どうせ死ぬんだから今死んでもいいじゃないか」と言う奴がいるかもしれませんが、それは論理として成立していない。なぜなら、それは「どうせ腹が減るから喰うのをやめよう」「どうせ汚れるから掃除しない」というのと同じことだからです。

勝手に「一人称の死」についてのみ考えて、それが「二人称の死」としてどう受け止められるか、その影響を考えずに自殺することがよいとは思えないのです。

父の死

私が最初に経験した「二人称の死」は父の死でした。このときの経験は私に大きな影響を与えています。

父は、私が四歳のときに亡くなりました。その頃のことは私の一番古い記憶と結びついています。

父が亡くなったのは結核が原因でした。私のもっとも古い記憶が、その結核で寝込んでいる父の姿なのです。

父の枕もとになぜか赤ん坊のガラガラがあった。なぜ大人の部屋に子供のおもちゃがあるのだろうかと思って見ていたら、父が「これは声が出ないから、人を呼ぶために使うんだよ」と説明してくれました。子供の視線をたどって丁寧に説明してくれる、そういう気配りが出来る人だったようです。

父が亡くなったのは夜中だったので私は寝ぼけていました。臨終の間際に親戚に「お父さんにさようならを言いなさい」と言われました。でも言えませんでした。その後、父は私に微笑んで、喀血《かっけつ》して、そして亡くなりました。

幼い頃の私は内気な子どもだったようです。近所の人に挨拶が出来なかった。挨拶が苦手な子どもでした。

父の死については、よく思い出していました。しかし、それを本当に受け止められたのは、三十代の頃だったと思います。きっかけはおそらく、その頃身内の通夜や葬式をやった。それが子供の頃の追体験のようなものになったのではないかと思います。当時、身内といろいろと揉めて感情が不安定だったことも影響していたのかもしれません。

その頃、ふと、地下鉄に乗っているときに、急に自分が挨拶が苦手なことと、父親の死が結びついていることに気づいた。そのとき初めて「親父が死んだ」と実感したのです。そして急に涙があふれてきた。

もう父の死からは三十年近くたっていたにもかかわらずです。私はその時点まで父が死んだということが実感できていなかったのです。頭ではわかっていても、無意識にそれを否定していたのです。

それでも、その時は、まだ父親の死についての解釈がきちんと出来ていたわけではありません。しかしそれがきっかけで少しずつ、これまで自分が無意識に閉じ込めてきたことがほぐれてきた。大体解けたと思ったのが四十代になってからで、きちんと語れるようになったのは五十歳を過ぎてからのような気がします。

挨拶が苦手な理由

父の死を実感して、その死についていろいろと考えていくうちに謎が解けてきました。挨拶が苦手なことと、父の死の記憶は直結していたのです。

私は父が死ぬ直前に、挨拶を促されたがしなかった。父はその直後に亡くなった。私は無意識に、自分はまだ別れの挨拶をしていない、だから父とはお別れをしていない、と思っていたのです。それはつまり、父の死を認めていないということです。だから、地下鉄で泣き出すまでは父の死を実感できていなかったのです。

また心のどこかで、人に挨拶をすると、相手が死んでしまうというような意識もあったのかもしれません。そういうことを無意識のなかで思っていたのでしょう。

その解釈が正しいと思えるのは、それがわかってから、挨拶というものが気にならなくなったからです。それまでは苦手意識が強かったのです。

苦手意識があったということは、つまり何かが心のなかで引っかかっていた。単純に考えれば、内気だからとか人見知りだからというような解釈が出来るはずです。でも、そんな解釈で自分が納得できていたら、そもそも心に引っかかることではない。しかし、そういう解釈ではどこか居心地が悪かった。

ところが、その原因が父親の死と関係があると思った後は、その居心地の悪さがなくなった。実際に挨拶が上手になったかどうかはわかりません。なぜならそういうこと自体が気にならなくなってしまったからです。

精神分析の効用は、おそらくこういうところにあるのでしょう。それまで何か心のなかで引っかかっていたものが消えると、心にかかっていた無駄な負荷が無くなる。そうするとかわりになるから、他のことがスムーズに出来るようになる。

それまでに私は何度か交通事故を起こしたことがありました。オーストラリアで生活していた頃です。運動神経の問題だと言われるかもしれませんが、どうもそれもこういう心にかかっていた負荷と関係があるように思います。

私の勝手な言い訳ではありません。交通事故を起こしやすい性格というのは、精神科医の「自由連想」で引っかかる人だそうです。

「自由連想」というのは、精神科医が相手に何か適当な単語（たとえば「森」とか「湖」とか）を投げかけて、そこから連想する言葉を引き出すという手法です。これをやっていると、ある単語で引っかかって連想が出てこないということがあります。答えるまでに時間がかかる。

その単語は、その人の中で何か抑圧がかかっている単語だというように解釈されます。おそらく私の場合は「挨拶」なのか「さようなら」なのかはわかりませんが、そういう挨拶に関わる単語が引っかかっていたのでしょう。

別に運転中に「挨拶」について思いを馳せていて、それでボーッとしていたというような単純なものではありません。しかし、何か心のなかに引っかかりがあると、動きがぎこちなくなることがある。

不思議なことに、こういうふうに父親の死を実感できて、解釈も出来るようになってくると、逆に父親に関するシーンを思い出さなくなってきました。幼い頃の父の思い出というのが、いくつかふと浮かぶということがそれまではあったのに、無くなった。それについてこんなふうに書いたり語ったりしているから、そのおかげでまだ憶えていますが、そうじゃなければ殆ど忘れてしまっていたのではないでしょうか。

記憶というのはそのへんが面白いところで、感情的に刺激が強い体験があると強化されるという面があるようです。それがたとえ抑圧的な記憶にしても、その抑圧を保持するためにかえって強化されていく面がある。だから私は、抑圧が無くなった時点からどんどん忘れていくようになったのです。

私の場合は、まだ四歳で理屈もわからない年齢だったから、父の死が無意識に与えた影響も大きかったのでしょう。これがもっと理屈でわかる年齢だったら、影響の程度もずいぶん変わっていたかもしれません。

それでも死は周囲に大きな影響を与えるということは間違いありません。安易に自殺を考える人に代表されるように、現代はそれを忘れている人が多いように思えます。

死の効用

いずれにしても、そういう周囲の死を乗り越えてきた者が生き延びる。それが人生というものなのだと思います。そして身近な死というのは忌むべきことではなく、人生のなかで経験せざるをえないことなのです。それがあるほうが、人間、さまざまなことについて、もちろん自分についての理解も深まるのです。

だから死について考えることは大切なのです。

小学一年生のときに、同級生が亡くなったことがありました。いかに戦時中とはいえ、その年で同級生が亡くなるのは珍しかった。そのせいか今でもそのとき彼の家でお焼香したことやお悔やみを言ったことを憶えています。今でもよく彼について思い出します。

級長をやっていたくらいだから、人望もあったし、賢い少年でした。彼について思うときには、「神に愛される者は早死にする」という言葉を思い出します。いい人というのは、どこか自分を無意識に投げ出してしまっているようなところがあるのではないか。他人を陥れたりすることが苦手な人はそういうふうになって、生き残っている私たちとはどこか違うのではないか。そんな気もします。

もしも父親が早くに亡くなっていなければ、私はもっと脳天気で社交的な人間になっていたのかもしれません。仕事もまったく別のものを選んでいたかもしれません。二人称の死というのは、さまざまな形で後遺症を残します。

でも、その後遺症がいい、悪いということは簡単には言えない。そういうものをそもそも含んでいる、それが人生なのです。それについては別の道は無い。他の選択肢は無いのです。一度死なれたら、やり直せといっても無理な話です。

死にいい面があるというとなかなか理解されないでしょう。だから別の言い方でいえば、死は不幸だけれども、その死を不幸にしないことが大事なのです。「死んだら仕方がない」というふうに考えるのは大切なことなのです。それを知恵と呼んでもよい。

私は今、「ただのオリンピック」の仕事を手伝っています。「ただのオリンピック」というのは私がそう呼んでいるだけで、正式には「スペシャル・オリンピックス」という名前で、二〇〇五年冬に長野県で開かれる知的障害者のためのオリンピックです。なぜこれを「ただのオリンピック」と呼ぶのか。それは私には、いわゆる「オリンピック」が普通に見えないからです。

選手の肉体改造は言わずもがな、陸上競技ではいい数字を出させるために、フィールドにまであれこれと最新技術を駆使する。そんなふうにしてやる大会と、「スペシャル・オリンピックス」のどちらが普通の競技大会なのかはわからないのではないでしょうか。

なぜこの話をするのかといえば、これも「仕方がない」ということと関係があるのです。私は知的障害についても、生まれついてそうなった以上は仕方がない、いいほうに考えるしかないだろうと思っています。

こういう現状肯定に対しては、もしかすると「差別を肯定するのか」と言う人が出てくるかもしれません。しかし、私が言っているのはあくまでも自然界の話です。人間が意識的に作ったルールでの差別などは改善出来るのですから、改善出来ることはしたほうがいいでしょう。

しかし、人間の力の及ばぬところで出てきた結果は、仕方がないと思うしかない。背が高いとか低いとか、色が白いとか黒いとか、地震や噴火も「仕方がない」ことです。知的障害も同じことです。

そもそも知的障害のすべてを本当に「障害」とすべきかどうかも怪しいのです。たとえばウィリアムズ症候群という病気があります。脳障害の一種とされ、運動に支障があります。靴の紐が結べなかったり、段差を歩くのが苦手だったり、流暢《りゅうちょう》に喋っているようでも、実は本人たちにはその内容があまりわかっていなかったりします。

しかし、その一方で彼らは共通して音楽の才能があることがわかっています。音感が鋭く、歌や楽器をやらせると非常に上手い。妖精のモデルになったのはこの病気の人たちだったのではないかともいわれている。

一般の人は、どうしても自分が普通で、こういう障害を持った人たちは特別だと思いがちです。しかし、ウィリアムズ症候群の人たちには、そういう人たちをはるかに上回る音楽の才能があります。知的障害者と言われるなかで、絵の才能をもった人もたくさんいます。山下清氏がよい例です。

そういう人たちについて、「いくら音楽の才能があっても知的障害があっては仕方がない」と思うべきか、「知的障害があるのは仕方がないけれども、彼らには音楽の才能がある」と思うべきか、答えは明らかでしょう。

生き残った者の課題

もちろん、今身内がなくなって悲嘆している人に「死んじゃったら仕方ないよ」なんて言ったら、殴られます。文句も言えません。しかし、長い目で見て、その死の経験を生かす生き方をすればよいのではないかと思うのです。

それが生き残った者の課題です。そして生き残った者の考え方一つで、そういう暮らしは出来るはずなのです。

卑近な例でいえば、組織の人事でも典型的に同じことが言えます。人事というのは決まるまでには色々な計算や配慮がありますが、結局決めたあとには、何がよかったかはわかりません。あまりに不満が出たので次の人事でまた人を動かすということはありますが、最初の異動の時期に時計の針を戻すことは出来ない。だから、結局良かったか悪かったかというのは、誰にも断定できないのです。

それが良かったか悪かったかを判断するのは、自分です。最終的にそれが良かったというふうに出来るのも自分だけです。だから「決まったことは仕方がない」と私はよく言います。それは何も流されて生きなさいと言っているのではなく、そのくらいの気持ちでいれば、逆に大抵のことは実はうまくいくと思っているのです。

それを「あのとき、あの人が私をあんなふうに扱ったから」と文句を言う人がいます。でもそれはちょっと違うんじゃないかな、と思うのです。

死というのは人事よりもはるかに理不尽にやってきます。問題は、そのときに、それを奇貨として受け止めるかどうかではないでしょうか。

私が度々引用するドイツの心理学者、V・E・フランクルの著作のなかのエピソードも、そのことと繋がっているのです。フランクルは、アウシュビッツの強制収容所に収容された経験を持ち、「人生の意味」について長年論じてきた心理学者です。

もう回復の見込みがなく、寝たきりになっている患者が、自分の生きる意味に疑問を持った。そのとき、フランクルは、その人がそういう運命を自分で受け入れて、それに対してどういう態度をとるかということが、周囲に大きな影響を与える、それが意味だと語ったというエピソードです。

そういう状態の患者さんが、生きがいや人生について何を伝えられるかが問題なのです。そういう考え方をすれば、病気になったことも必ずしも不幸ではないのです。

日々回復不能

私はさんざん一元論、原理主義を批判していますが、ある意味で神様っていいな、と思うこともあるのです。それは、「結局神の思し召しだから、人間の力ではどうにもならないことだから、仕方がない」と考えることには役に立つからです。その前提のうえで、「生きるとはどういうことか」という話を患者さんも出来るからです。

「そんな話は高尚過ぎる。理屈はそうでも気持ちはそうはいかない」と言われればそうかもしれません。だからもう少し卑近な例ということで、人事の話をしたのです。

人事にせよ、死にせよ、いずれも「なかったことにする」ことは出来ません。死は回復不能です。一度殺した蝿を生き返らせることは出来ません。

だから人を殺してはいけないし、安易に自殺してはいけない。安楽死をはじめ、死に関することを簡単に考えないほうがよい。

しかし、原則でいえば、人生のあらゆる行為に回復不能な面はあるのです。死が関わっていない場合には、そういう面が強く感じられないというだけのことです。

ふだん、日常生活を送っているとあまり感じないだけで、実は毎日が取り返しがつかない日なのです。今日という日は明日には無くなるのですから。

人生のあらゆる行為は取り返しがつかない。

そのことを死くらい歴然と示しているものはないのです。

あとがき

この本の最後にあるように、私の人生の記憶は父親の死から始まっています。人生は物心つく頃から始まるとすると、私の場合には人生が最初から死に接していたことになります。それで死という主題をよく扱うのかもしれません。解剖学を専攻した理由の一つも、そこにあるのかもしれない。そう思うこともあります。

いまでは多くの人が、死を考えたくないと思っているようです。もちろんそんなことを考えても考えなくても、さして人生に変わりはないはずです。結論はわかっているからです。

でもたまにそういうことを考えておくと、あんがい安心して生きられるかもしれません。ともかく私は安心して生きていますからね。

この本は『バカの壁』の続きみたいなものです。本の作り方も同じで、私がしゃべったことを、新潮社の後藤裕二さんが文章にしてくれました。後藤さんの文章を訂正する必要がほとんどなかったのも、前回と同じです。こういう優れた編集者に出会えたのは、本当に幸運だったと思います。慌てて死なないでよかった。

この本の内容は、私が『人間科学』(筑摩書房)という本に書いたことを、もっとやさしくしたものです。むずかしいほうを読みたかったら、そちらを読んでくだされば幸いです。いくつかのエピソードは、これまでさまざまなところに書いたことと、重複していることに気づかれる読者もあるかと思います。「死」という主題に沿って、全体をまとめてみたので、そういうことになりました。お許しください。

これで自分の中に溜まっていたものは、ほとんどすべて吐き出したと思います。逆さに振っても、もうなにも出ない。そんな気分になっています。これも悪い気分ではありません。いいたいことがあるということは、まだ「文句がいいたい」ということでもありますからね。文句がなくなりました。

養老孟司　1937(昭和12)年神奈川県鎌倉市生まれ。62年東京大学医学部卒業後、解剖学教室に入る。95年東京大学医学部教授を退官し、現在東京大学名誉教授。著書に『唯脳論』『バカの壁』など。

Ⓢ新潮新書

061

死《し》の壁《かべ》

著者　養老孟司《ようろうたけし》

2004年4月15日　発行
2023年8月20日　47刷

発行者　佐藤隆信
発行所　株式会社新潮社
〒162-8711　東京都新宿区矢来町71番地
編集部(03)3266-5430　読者係(03)3266-5111
http://www.shinchosha.co.jp

印刷所　株式会社光邦
製本所　株式会社大進堂

ISBN978-4-10-610061-1　C0210

価格はカバーに表示してあります。

養老孟司

バカの壁

「話せばわかる」なんて大うそ！

壁がわかれば世の中が見えてくる。気が楽になる。

イタズラ小僧と父親、イスラム原理主義者と米国、若者と老人は、なぜ互いに話が通じないのか。そこに「バカの壁」が立ちはだかっているからである。人生でぶつかる諸問題について、「共同体」「無意識」「身体」「個性」「脳」など、多様な角度から考えるためのヒントを提示する。

新潮新書